DORN•BADER

PHYSIK

Band 1
Lösungen

Gymnasium
Baden-Württemberg

Schroedel

DORN•BADER

PHYSIK

Band 1
Lösungen

Gymnasium
Baden-Württemberg

Herausgegeben von
Heinz-Werner Oberholz

Begründet von
Prof. Dr. Franz Bader, Prof. Friedrich Dorn

Bearbeitet von
Dania Burak
Dr. Peter Drehmann
Dr. Erwin-Klaus Haberkant
Heinz-Werner Oberholz
Dr. Wolfgang Philipp
Werner Wegner
Klaus Wieder

Bildquelle:
Umschlag: elbe-drei Werbeagentur, Hamburg

Druck A[1] / Jahr 2013

Alle Drucke der Serie A sind im Unterricht parallel verwendbar.

Redaktion: Dr. Imke Goertz, Franziska Riedel
Herstellung: Ralf Flunkert
Typografie, Layout und Satz: topset Computersatz, Rudi Warttmann, Nürtingen
Grafiken: Rudi Warttmann, Nürtingen
Druck: westermann druck GmbH, Braunschweig

ISBN 978-3-507-**86734**-5

EINFÜHRUNG IN DIE PHYSIK

Seite 9

A 1: Man verzichtet auf das Überlaufverfahren und markiert einfach den Anstieg des Wasserspiegels. Nach dem „Ausstieg" füllt man die Wanne mit einem Litermaß bis zur oberen Markierung und hat so das eigene Körpervolumen.

AKUSTIK

Seite 13

A 1: Periodendauer: $T = 4{,}3$ s;
Zahl der Perioden je Sekunde ist $\frac{3}{4}$;
Frequenz: $f = \frac{3}{4}$ Hz = 0,75 Hz.

A 2: $f = 440$ Hz: $T = 0{,}002273$ s;
$f_1 = 443$ Hz: $T_1 = 0{,}002257$ s.
Ein Vergleich ergibt: Die Periodendauer wird bei einer Stimmung auf $f_1 = 443$ Hz etwas kleiner.

A 3: Man muss die Pendellänge vergrößern. Die Amplituden haben keinen Einfluss auf die Periodendauer. Die doppelte Frequenz wird bei einem Viertel der Fadenlänge erreicht.

Seite 15

A 1: **a)** $T = 1/f = 0{,}02$ s.
b) Vgl. 15.4 e). Wähle 2 cm für die Amplitude und $2T \triangleq 8$ cm auf der Zeitachse.
c) Periodendauer ändert sich: $T_1 = 2$ cm.
d) Wähle die entsprechenden Amplituden.

A 2: **a)** Auf dem Oszilloskopbild sind drei Perioden zu sehen. Also benötigen drei Periodendauern die Zeit 2 ms. Damit ergibt sich:
Periodendauer $T = \frac{2}{3}$ ms, Frequenz $f = \frac{1}{T} = 1{,}5$ kHz.
b) Dann wäre die Periodendauer T = 2 ms und damit die Frequenz f = 500 Hz.

A 3: **a)** Nicht alle Werte stimmen.

T in s	1,0	1,1	1,2	0,9	0,8
f in Hz	1,0	0,9	0,8	1,1	1,2
f_r in Hz	1,00	0,91	0,83	1,11	1,25

b) Der Mitschüler hat die Frequenz f nicht als Kehrwert von der Periodendauer T berechnet. Er hat einfach die Zahlenwertänderung der Periodendauer, die entweder addiert (oder subtrahiert) wurde, einfach zur Frequenz subtrahiert (oder addiert). Diese Rechenvorgang ist falsch, weil z. B. $\frac{1}{1+0{,}1} = 0{,}909 \neq 1 - 0{,}1$.

Seite 17

A 1: Die Tonhöhe messen wir mit der Frequenz, die Lautstärke beschreiben wir mit der Amplitude.

Bei konsonanten Klängen – Prime (1 : 1), Terz (Dur: 5 : 4, Moll: 6 : 5), Quarte (4 : 3), Quinte (3 : 2), Sexte (Dur: 5 : 3, Moll: 8 : 5), Oktave (2 : 1) – liegen einfache Frequenzverhältnisse vor, bei dissonanten – Sekunde (9 : 8) und Septime (Dur: 15 : 8, Moll: 9 : 5) – nicht.

Seite 25

A 1: **a)** Ich würde einen Ton hören, der leiser wird. Die Tonhöhe würde gleich bleiben.
b) Die Schwingung hat eine konstante Frequenz (Periodendauer), die Amplitude nimmt mit der Zeit ab.
c) Versuch mit Schreibstimmgabel; Versuch mit Pendel, das Tinte ausfließen lässt, wobei das Papier unter dem Pendel weggezogen wird.
d) Periodendauer der Schwingung: $T \approx 0{,}075$ ms;
Frequenz: $f \approx 13{,}3$ kHz.
Die doppelte Frequenz von 26,7 kHz könnte ein Mensch nicht hören, aber ein Hund.

A 2: Knall:

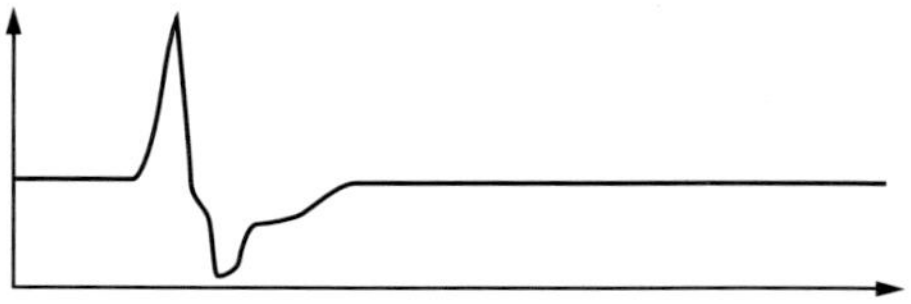

Beispiel: einmal in die Hände klatschen
Geräusch:

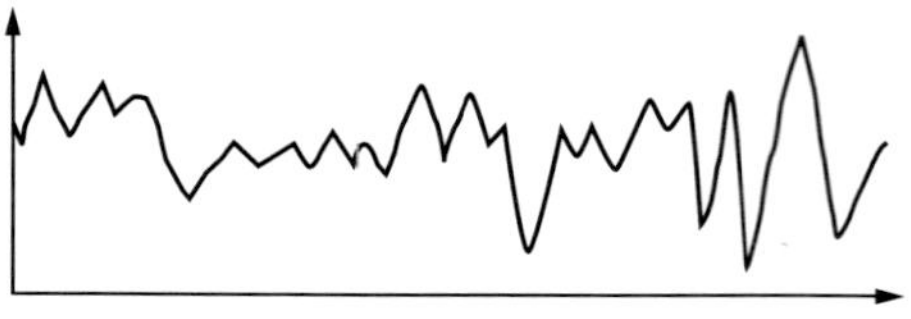

Beispiel: Zerknüllen eines Papiers
Klang:

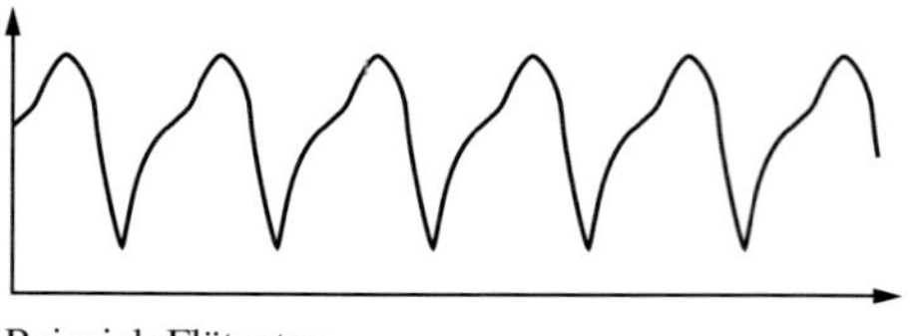

Beispiel: Flötenton
Ton:

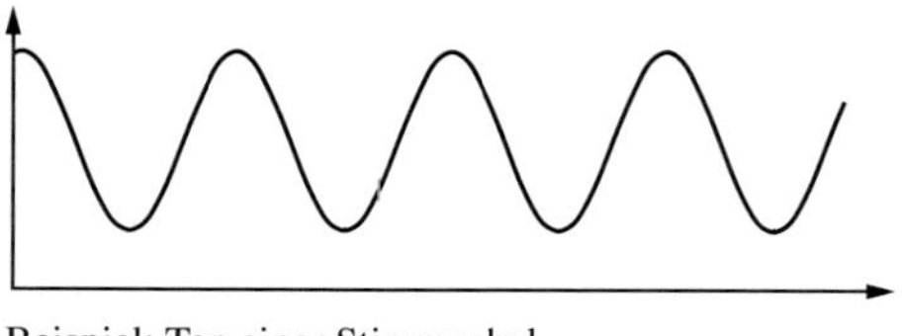

Beispiel: Ton einer Stimmgabel

A 3: Nein, ein Astronaut kann auf dem Mond nicht hören. Damit der Schall von der Schallquelle zum Ohr gelangen kann, benötigt er einen Schallträger. Auf dem Mond ist jedoch keine Luft/kein Schallträger vorhanden.
Ein mögliches Experiment: Wir stellen eine Klingel auf einem Schwamm unter eine Glasglocke. Wir hören ihren Klang. Pumpen wir die Luft ab, so ist der Klingelton nicht mehr zu hören (vgl. 21.V4).

A 4: Im Staubsauger treibt ein Elektromotor ein Gebläse an. Je höher die Stufe, desto schneller dreht sich der Propeller. Er versetzt dabei die Luft in Schwingungen, ähnlich wie eine angeschlagene Stimmgabel. Bei hoher Stufe dreht sich der Propeller mit großer Umdrehungszahl pro Minute. D. h., die Luft schwingt mit großer Frequenz – wir hören einen hohen Ton.

A 5:

1. tiefer (niedrige Frequenz),
   leiser (kleine Amplitude) Ton
2. tiefer (niedrige Frequenz),
   lauter (große Amplitude) Ton
3. hoher (große Frequenz),
   leiser (kleine Amplitude) Ton
4. hoher (große Frequenz),
   lauter (große Amplitude) Ton

A 6: **a)** kleine Amplitude, vgl. 25.A5.1., anschließend eine große Amplitude, vgl. 25.A5.2.
b) Man kann das Schwingungsbild eines hohen Tons zeichnen (vgl. 25.A5.4.), indem man das Blatt Papier langsam zur Seite hin weg zieht. Das Schwingungsbild eines tieferen Tons (vgl. 25.A5.2.), erhält man, indem man das Blatt schneller zur Seite hin wegzieht.

A 7: **a)** Man kann durch Dämmung im Motorraum die Lautstärke der Motorgeräusche reduzieren. Zudem kann eine Lärmreduktion durch ein Tempolimit erreicht werden.
Eine weitere Maßnahme ist ein glatter Fahrbahnbelag oder sogenannter Flüsterasphalt, der die Rollgeräusche reduziert.
b) Die Bewohner können durch Schallschutzwände geschützt werden. Eine weitere wirksame Maßnahme ist der Einbau von Schallschutzfenstern. Ebenfalls kann man die Außenwände durch Dämmung zu schlechten Schallträgern umfunktionieren.

A 8: **a)** —
b) Je dicker ein Gummiband ist, umso schwerer (träger) ist es und umso langsamer schwingt es. Die mit einem dicken Gummiband erzeugten Töne nehmen wir tiefer wahr. Je dünner die Gummibänder sind, desto schneller können sie schwingen und desto höher nehmen wir den Ton wahr.
c) Nicht nur die Dicke der Gummibänder ändert die Tonhöhe, auch durch die Spannung der Gummibänder können wir die Tonhöhe verändern. Je kräftiger ein Gummiband gespannt ist, desto schneller schwingt es. Die dann erzeugten Töne nehmen wir höher wahr.

A 9: Spricht man in den Joghurtbecher hinein, so schwingt der Boden des Bechers. Der straff gespannte Faden überträgt die Schwingung auf den zweiten Becherboden, der dann ebenfalls schwingt. Dadurch erzeugt der zweite Becherboden wieder Schall, den man dann hören kann.
Ist der Faden nicht gespannt, schwingt der zweite Becherboden nicht.

OPTIK

Seite 29

A 1: Das gebündelte Licht trifft das Auge und wird dort als Blinken wahrgenommen, wenn der Spiegel hinter der Glühlampe ist. In der Zeit dazwischen ist die Glühlampe entweder vom Spiegel abgedeckt oder das Licht ist durch die fehlende Bündelung so viel schwächer, dass es nicht wahrgenommen wird.

Seite 31

A 1: Der Kernbereich wird immer schmaler, bis er ganz verschwindet. Dann sind zwei Schatten des Körpers zu sehen. Die Helligkeit entspricht dem Teillichtbereich.

A 2: In jeder Ecke des Spielfeldes steht ein Mast mit den Scheinwerfern. Es gibt also vier Lichtquellen.

A 3: Bei Vollmond steht die Erde zwischen Sonne und Mond. Befindet sich der Mond nicht genau in der Ebene der Erdumlaufbahn, sieht man die der Sonne zugewandten Seite komplett.
Bei einer Mondfinsternis befindet sich der Mond im Schatten (lichtfreien Raum) der Erde.
Bei Neumond befindet sich der Mond auf derselben Seite wie die Sonne. Von der Erde aus sieht man nur seine nicht beleuchtete Seite.
Bei einer Sonnenfinsternis muss der Mond genau zwischen Sonne und Erde stehen, damit sein Schatten (lichtfreier Raum) die Erde treffen kann.
Diese beiden Phänomene treten nur etwa bei jedem sechsten Vollmond/Neumond auf, da sich der Mond meistens etwas über oder unterhalb der Erdumlaufbahn befindet.

A 4: Aus einer partiellen Mondfinsternis kann man auf die Kugelgestalt der Erde schließen, denn dann sieht man auf dem Mond einen Ausschnitt des kreisförmigen Schattens der Erde.

Seite 35

A 1: a) Mithilfe einer Konstruktion des Strahlengangs nach Bild 34.B2 findet man: Die Spiegelgröße muss mindestens die halbe Körpergröße haben. Die Oberkante des Spiegels muss 5 cm tiefer als die Scheitelhöhe sein.

b) Die Spiegelgröße ist unabhängig vom Abstand.

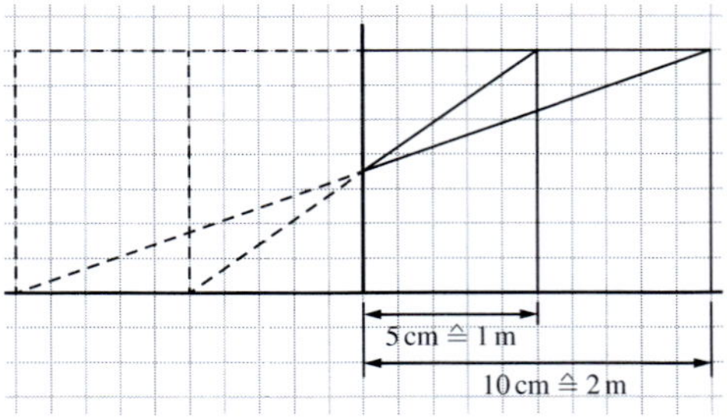

c) Dies ist nicht möglich. Mehr als die Füße sind nicht zu sehen.

A 2: Verbinde L und P jeweils mit S. Konstruiere die Winkelhalbierende des Winkels PSL. Diese ist das Lot auf dem Spiegel. (Der Spiegel ist um 13,9° gegenüber der Horizontalen geneigt).

A 3: Lege den Spiegel in gewissem Abstand auf den Boden vor einer Wand des Raumes. Stelle dich jetzt so auf, dass du in der Spiegelmitte die Kante zwischen Wand und Decke siehst (aufrecht stehen, Kopf gerade, Augen blicken auf den Spiegel).
Jetzt wird gemessen: Abstand a zwischen dir und Spiegelmitte, Abstand b zwischen Spiegelmitte und Wand, Augenhöhe h.
Deckenhöhe $H = h \cdot b/a$.
Hinweis: Die Messung wird genauer, wenn man auf dem Spiegel eine „Peil-Linie" einzeichnet, auf der man dann die Deckenkante sieht.

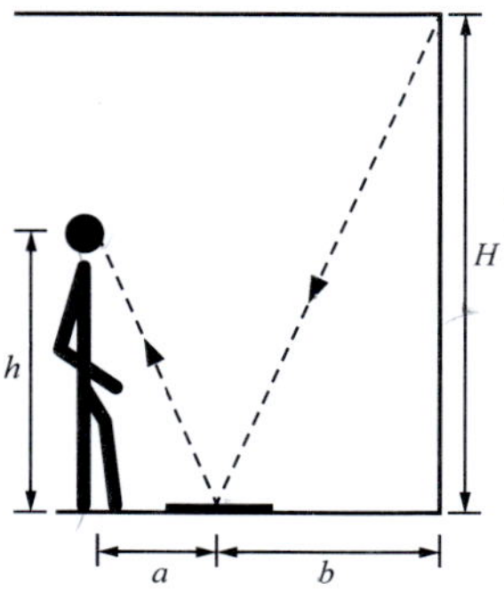

A 4: Man spiegelt zunächst die Lampe geometrisch am Boden und verbindet die Enden des Lichtflecks mit der gespiegelten Glühlampe. Die Schnittpunkte dieser Strecken mit dem Boden ergeben die Lage und die Größe des Spiegels (von links bis zum Beginn des Spiegels ca. 4,3 cm, Größe ca. 4,5 cm).

$\tan\alpha_1 = \frac{3}{10} \Rightarrow \alpha_1 \approx 16.7°$

zu A4, S. 35

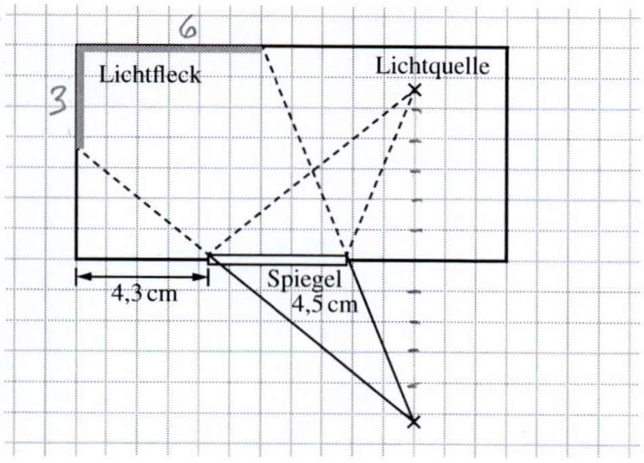

Seite 41

A 1: An der Oberfläche des Glases wird ein Teil des Lichts reflektiert. Der restliche Teil des Lichts wird an der Grenzfläche gebrochen, sodass Gegenstände dahinter verändert erscheinen.

A 2: *Hinweis:* Im Dorn·Bader-Titel 86731, erste Auflage (Printmedium), ist die Kurve Luft/Wasser des Diagramms 39.B2 leider nicht korrekt abgebildet. Hier das korrigierte Diagramm:

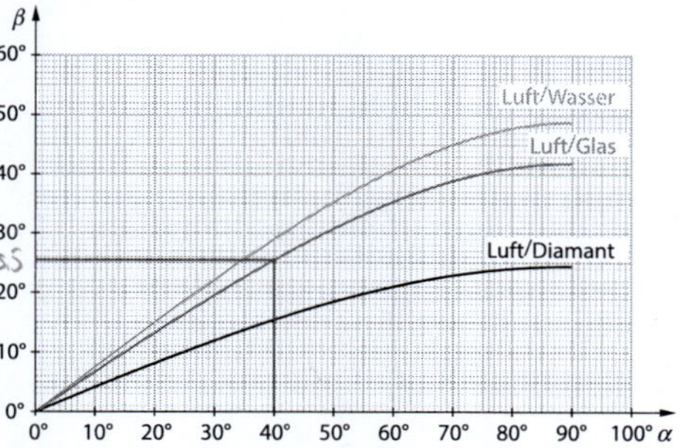

Ein Lichtstrahl, der unter 35° zum Lot von Luft in Wasser übergeht, wird im Wasser abgelenkt. Der Winkel im Wasser beträgt 25,5°, damit handelt es sich um eine Ablenkung von 9,5°.

aus Diagramm

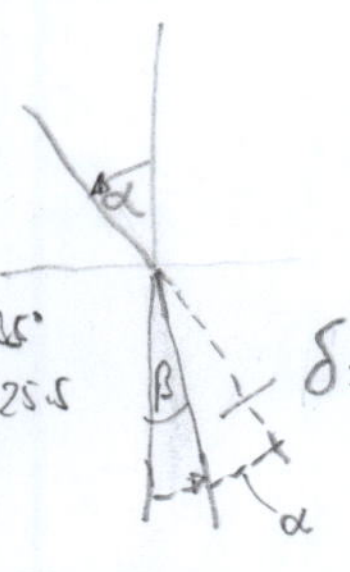

$\alpha = 35°$, $\beta = 25.5$

$\delta = \alpha - \beta = 35 - 25.5 = 9.5°$

alternativ ohne Diagramm: $\frac{\sin\alpha}{\sin\beta} = \frac{n_{H_2O}}{n_L} = \frac{1.33}{1,00028} \approx 1.3296 \Rightarrow$

$\sin\beta = \frac{\sin\alpha}{1.3296} = \frac{\sin 35°}{1.3296} \approx 0.4314 \Rightarrow \beta \approx 25.55°$

A 3: Skizze:

$\beta_1, \beta_2, \beta_3$: aus Tab. B2 S. 39

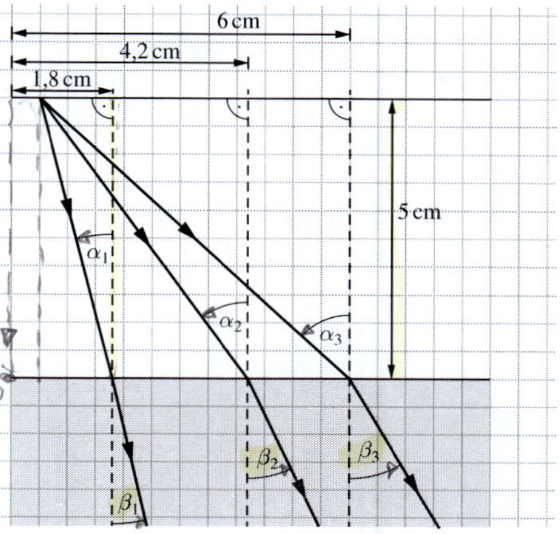

A 4: Das vom Fisch ausgehende Licht wird an der Wasseroberfläche gebrochen. Der Fisch scheint höher zu schwimmen, als er es in Wirklichkeit tut. Er muss also *vor* den Fisch zielen.

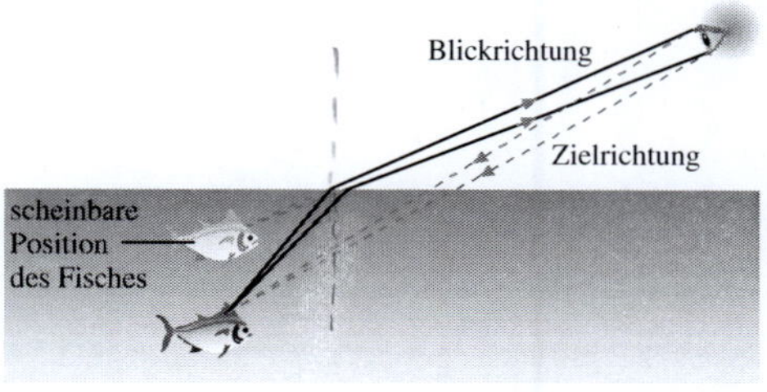

A 5:

$\delta = \alpha - \beta$

α	0°	10°	20°	30°	40°
β	0°	4,1°	8,1°	11,9°	15,4°
δ	0°	5,9°	11.9°	18,1°	24,6°

α	50°	60°	70°	80°	90°
β	18,5°	21,0°	22,8°	24,0°	24,4°
δ	31,5	39,0°	47,3°	56,0°	65,6°

A 6: Man kann die Zuckerlösung in Gedanken in mehrere Schichten unterteilen, deren optische Dichte von oben nach unten zunimmt. An jeder (gedachten) Grenzfläche wird der Lichtstrahl gebrochen. Denkt man sich die Schichten unendlich dünn, dann erhält man den beobachteten Sachverhalt.

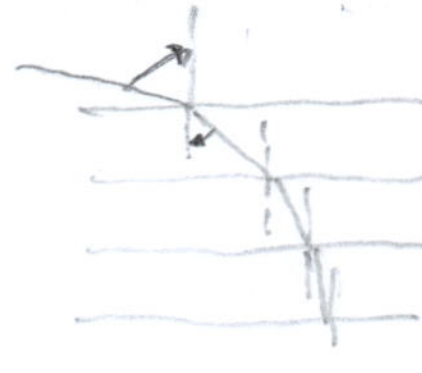

Seite 43

A 1: **a)** Das Licht kann nur durch die Oberfläche treten, wenn der Winkel zum Lot im Wasser kleiner als der Grenzwinkel $\beta_g = 48{,}8°$ ist. Zeichnet man einen solchen Strahl ein und dazu das Lot von der Lichtquelle zur Wasseroberfläche, dann erhält man in etwa ein rechtwinkliges Dreieck. Rotiert dieses Dreieck um das Lot, ergibt sich ein Kegel.

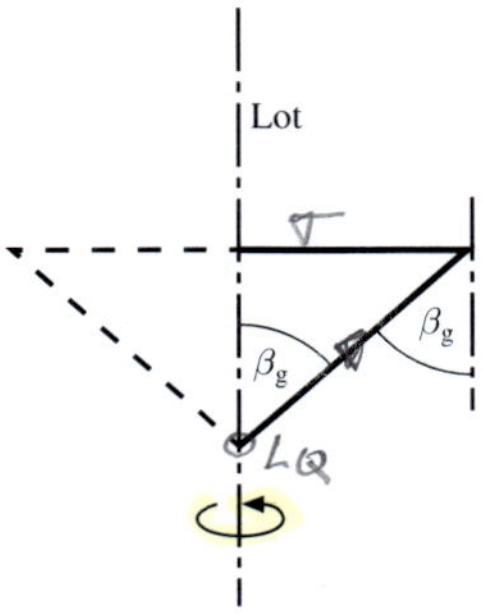

b) Der Öffnungswinkel des Kegels beträgt:
$2 \cdot \beta_g = 2 \cdot 48{,}8° = 97{,}6°$.

A 2: Skizze:

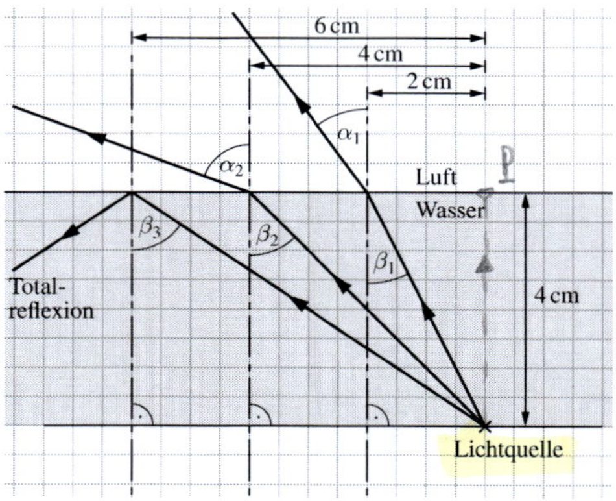

Der Winkel zwischen Lot und Lichtstrahl im Wasser beträgt 26,6°, 45,0° bzw. 56,3°. Der erste Strahl verlässt das Wasser unter einem Winkel zum Lot von 36,5°, der zweite unter 70,0°. Der dritte Strahl kann das Wasser nicht verlassen, da der Winkel größer als der Grenzwinkel ist:
$\beta_3 = 56{,}3° > 48{,}8° = \beta_g$.
Der Lichtstrahl wird vollständig reflektiert.

A 3: Der Brechungswinkel beträgt 30,7° (aus Diagramm 39.B2 ablesen). Der Lichtstrahl trifft die untere Grenzfläche des Quaders und wird dort total reflektiert. An der rechten Grenzfläche wird der Strahl gebrochen und verlässt unter dem Winkel von 50° gegen das Lot den Quader.

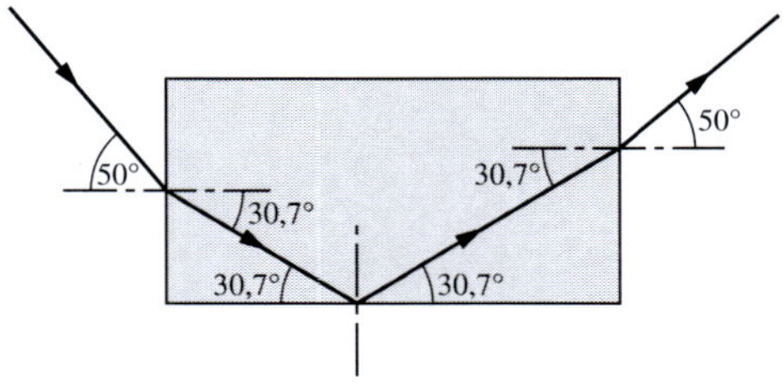

Seite 59

A 1: **a)** Eine zugehörige Skizze beinhaltet, dass man durch eine Lochblende ein Lichtbündel immer schmaler macht. Je kleiner die Lochblende, desto feiner wird das Lichtbündel nach der Blende. Zu sehr feinen Lichtbündeln sagt man dann vereinfacht Lichtstrahlen. (Die Beugung an der Lochblende wird an dieser Stelle noch nicht thematisiert).

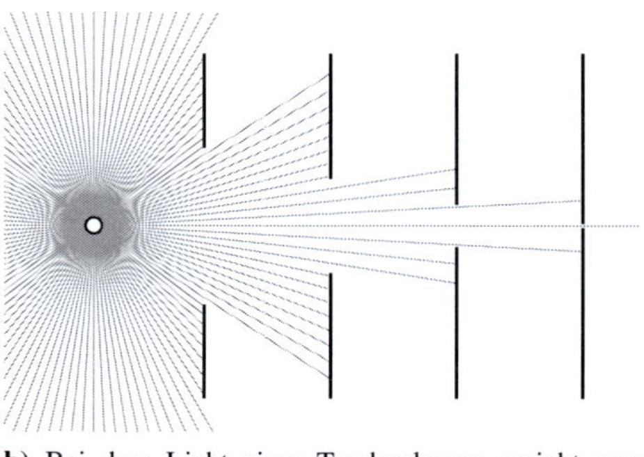

b) Bei dem Licht einer Taschenlampe spricht man von einem Lichtbündel, zu einem stark „eingeengten" Lichtbündel sagt man Lichtstrahl.
Bei der Konstruktion von Strahlengängen ist das Verwenden von Lichtstrahlen einfacher, weil man mit dem Lineal nur Linien (Strahlen) zeichnen muss. Würde man Lichtbündel verwenden, so müsste man immer überlegen, wie breit bzw. wie weit auseinander laufend (divergent) man die Lichtbündel jeweils zeichnen müsste (siehe z. B. 34.B1).

A 2:

Brennweite *f*	Bildweite *b*	Bildhöhe *B*
2 cm	2,5 cm	1 cm
5 cm	10 cm	4 cm
8 cm	40 cm	16 cm
10 cm	kein Bild, Lichtbündel parallel	
12 cm	kein Bild, Lichtbündel divergent	

Zeichnung im Heft im Maßstab 1:2; Heft im Querformat.

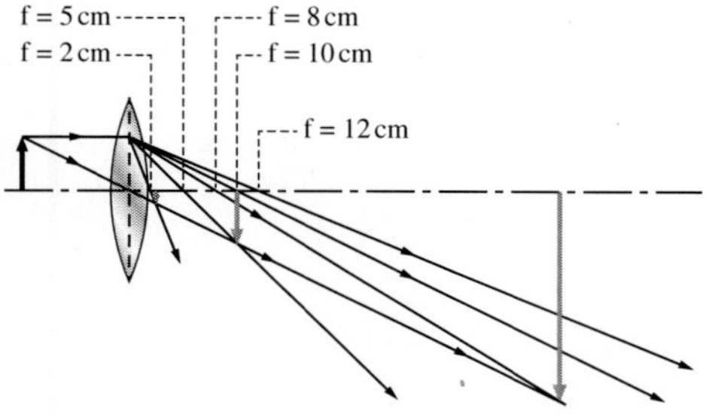

A 3: Konstruktion wie im Schülerband 58.B2 a) bis c): $g = 7{,}5$ cm; $b = 10{,}5$ cm; $f = 4{,}4$ cm.

Seite 61

A 1: a) Betrachtet man 60.B1, so erkennt man: Je weiter der Abstand zwischen Objektiv und Leinwand ist, desto größer wird das Bild. Lisa muss die Projektionswand also möglichst weit vom Projektor aufstellen.
b) Das Bild an der Stelle der Projektionswand ist zu groß. Will sie es verkleinern, ohne den Projektor zu verschieben, so benötigt sie eine andere Objektivlinse. Sie muss erreichen, dass die Lichtstrahlen flacher auf die Projektionswand auftreffen. Das gelingt mit einer Objektivlinse größerer Brennweite. Der Abstand zwischen Kondensorlinse und Objektivlinse muss dazu auch größer werden. Damit ist auch eine Kondensorlinse mit größerer Brennweite erforderlich.

A 2: Zur größeren Gegenstandsweite gehört eine kleinere Bildweite, d. h. der Abstand zwischen Objektivlinse und Film muss verringert werden.

Seite 63

A 1: Ähnlich wie bei der Übersichtigkeit des Auges ist die Brennweite der Augenlinse zu groß. Setzt man eine Brille mit Sammellinse vor das Auge, so verkürzt sich dadurch die Brennweite.

A 2: a) Eine Lesebrille ist eine Sammellinse. Man bildet mit der Lesebrille das Sonnenlicht auf den Boden ab. Nun wird der Abstand der Brille zum Boden so verändert, dass das Sonnenlicht in einem „Punkt“ gebündelt wird. Der Abstand Brille – Boden ist dann (ungefähr) die Brennweite der Lesebrille.
Begründung: Das Sonnenlicht fällt praktisch parallel auf die Linse und wird deshalb in der Brennebene der Linse gebündelt (Skizze s. 57.B5).
b) Hier hängt die Dioptrienzahl von der jeweiligen Lesebrille ab. Typische Dioptrienzahlen von Lesebrillen liegen im Bereich von +1 dpt bis +3 dpt, d. h. typische Brennweiten sind 1 m bis $\frac{1}{3}$ m.

Seite 69

A 1: Bei weit entfernten Gegenständen entsteht das Zwischenbild in der Brennebene der Objektivlinse. Die optimale Vergrößerung dieses Bildes durch eine Lupe erhält man im Abstand der Brennweite der Okularlinse. Also beträgt die Länge des Fernrohrs $f_1 + f_2$.

A 2: *Gemeinsamkeiten:* Beide Geräte besitzen eine Objektivlinse und eine Okularlinse. Bei beiden erzeugt die Objektivlinse durch optische Abbildung ein reelles Zwischenbild; dieses wird durch die als Lupe wirkende Okularlinse betrachtet.
Unterschiede: Beim Mikroskop ist der Gegenstand sehr klein, doch kann man ihn beliebig nahe ans Objektiv bringen. Je näher man ihn heranbringt, desto stärker wird das Zwischenbild vergrößert. Da der Gegenstand nur abgebildet wird, wenn er sich außerhalb der Brennweite befindet, kommt man umso näher heran, je kleiner die Brennweite der Objektivlinse ist. *Beim Mikroskop muss die Objektivlinse also eine kurze Brennweite haben.*
Beim Fernrohr ist der Gegenstand groß, doch ist er weit entfernt. Es liegt in der Natur der Sache, dass man ihn nicht nahe an das Objektiv heran schieben kann. Deshalb bringt man den Brennpunkt der Objektivlinse möglichst nahe an den Gegenstand: *Man nimmt eine Objektivlinse mit langer Brennweite.* Das Zwischenbild ist kleiner als der Gegenstand, es ist jedoch nahe am Okular. Das Auge sieht dieses nahe, kleine optische Bild größer als den zwar großen, aber sehr weit entfernten Gegenstand.

A 3: Zieht man das Okular ein wenig aus dem Fernrohr heraus, so liegt das Zwischenbild außerhalb der Brennweite der Okularlinse. Dieses erzeugt nun vom Zwischenbild ein optisches Bild auf einem Schirm. Das projizierte Bild lässt sich wiederum gefahrlos für das Auge betrachten.

Seite 73

A 1: **a)** Blau + Gelb → Grün
b) Hellgrün + Orange → Gelb

A 2: Der Farbeindruck bei der Addition der Farben Rot und Grün hängt ab

- von der Intensität der beiden farbigen Lichter,
- von ihrer jeweiligen Stelle im Spektrum.

a) Wenn man ein bestimmtes grünes Licht zum roten Licht addiert, ist es möglich, dass alle 3 Zapfenarten etwa gleich stark gereizt werden. Dieses erzeugt dann den Eindruck Weiß.
b) Addiert man jedoch ein anderes grünes Licht (geringer Blauanteil) mit rotem Licht, so kann man erreichen, dass die R- und G-Zapfen gleich stark gereizt werden. Das Gehirn deutet dies als gelbes Licht.

A 3: Empfängt das Gehirn gelbes Licht, so werden die R- und G-Zapfen ungefähr gleich stark gereizt, die B-Zapfen fast überhaupt nicht. Empfängt das Auge nun alle Spektralfarben ohne Violett, so werden im Wesentlichen auch nur die R- und G- Zapfen gereizt.

A 4: Beim Fernseher sind die roten Subpixel ausgefallen.

A 5: Die Empfindung Weiß entsteht, wenn alle drei Zapfenarten etwa in gleichem Intensitätsverhältnis gereizt werden. Deshalb ergibt die Addition von rotem, grünem und blauem Licht entsprechender Intensität den Eindruck Weiß. Da sich die Empfindlichkeitskurven überlappen, kann man auch schon mit zwei verschieden farbigen Lichtern erreichen, dass alle drei Zapfenarten entsprechend gereizt werden.

A 6: Ob man durch ein Farbfilter eine spektralreine oder eine Mischfarbe sieht, kann man mit einem Prisma überprüfen:
Man schickt weißes Licht durch das Farbfilter. Anschließend führt man mit einem Prisma eine spektrale Zerlegung durch. Beobachtet man nur die „eine" Farbe, so handelt es sich um eine spektralreine Farbe, wird das Licht in zwei oder mehrere Farben zerlegt, handelt es sich um eine Mischfarbe.

A 7: **a)** Bei jeder weiteren Addition kommt Lichtenergie hinzu.
b) Jeder weitere Filter verschluckt zusätzliche Farbanteile – er filtert Lichtenergie heraus.

Seite 75

A 1: Bei Beleuchtung mit Glühlicht (es hat in etwa die gleiche Spektralverteilung wie Sonnenlicht) erscheint es gelb.
Bei Beleuchtung mit gelbem Licht erscheint es strahlend hell (gelb),
in blauem Licht dagegen Schwarz (vgl. hierzu die Wirkung der Farbfilter auf Seite 73).In rotem Licht erscheint es eher Rot-Orange (nicht strahlend).

A 2: Der Mond hat keine Atmosphäre, sodass die Filterwirkung, wie es sie auf der Erde gibt, hier nicht gegeben ist. Die Farbe der Sonne wird sich beim Untergang also nicht ändern.

A 3: Das Sonnenlicht wird von jeder Planetenatmosphäre gefiltert, sodass die ankommende Spektralverteilung auf jeder Planetenoberfläche anders ist. Auf der Marsoberfläche erscheinen Körper daher evtl. in einer anderen Farbe als auf der Erdoberfläche. Die mitfotografierte Spektraltafel sollte die Farbzuordnung erleichtern.

Seite 83

A 1: Ist es dunstig oder nebelig, wird das Licht an den Wassertröpfchen gestreut. Man sieht das Lichtbündel kreisen. Ist das Wetter klar, sieht man das Leuchtfeuer nur, wenn das Lichtbündel das Auge direkt trifft.

A 2: Ist es hinter dem Fenster dunkel, dann müsste das Licht von außen ins Schaufenster fallen, damit die Gegenstände beleuchtet sind. Das Licht wird aber zum Teil schon an der Scheibe reflektiert, sodass man eher die Straße (als Reflexion in der Scheibe) als die sehr schwach beleuchteten Auslagen sieht.
Sind dagegen die Schaufensterauslagen beleuchtet, so dringt das sehr viel hellere Licht von drinnen nach draußen, das Auge nimmt die jetzt relativ dazu schwächeren Reflexionen von außen nicht mehr wahr.

A 3: Skizze:

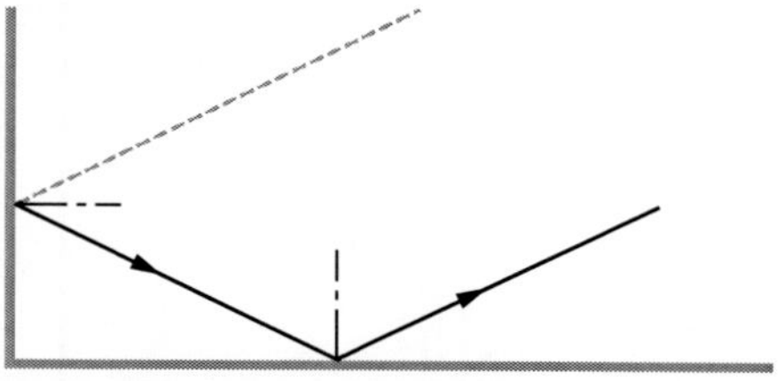

Die Lichtquelle befindet sich irgendwo entlang der grauen gestrichelten Strecke.

A 4: *Hinweis:* Bei dieser Aufgabe ist es sinnvoll, die Schülerinnen und Schüler zunächst mit Spiegeln experimentieren zu lassen.

Es sind Lösungen in unterschiedlichen Niveaustufen möglich, es kann zum Beispiel diskutiert werden, ob der Juwelier die gesamte Vitrine sehen können muss. Eine mögliche Lösung:

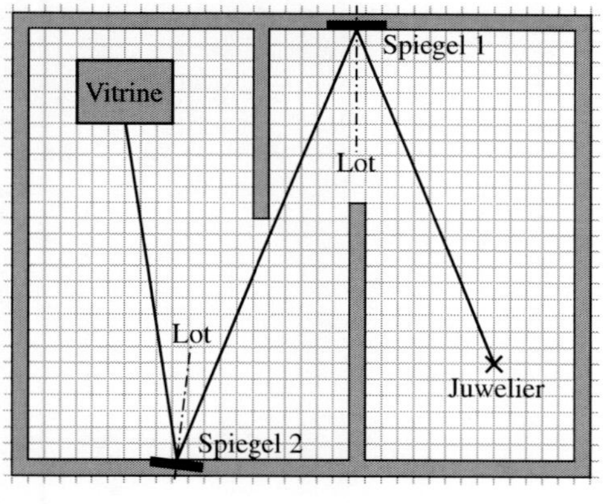

A 5: **a)** Skizze:

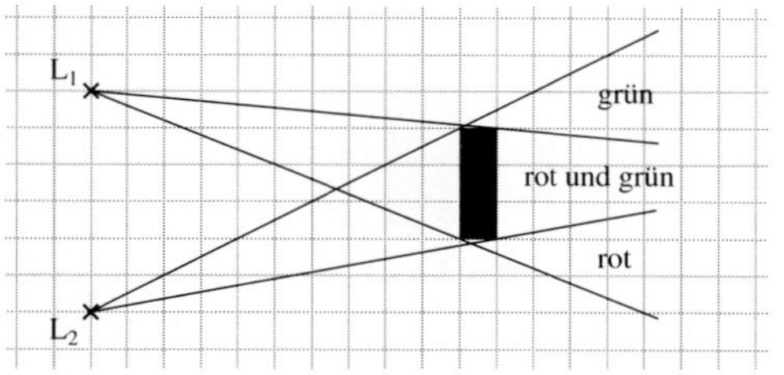

b) In den grün bezeichneten Bereich gelangt das Licht der Lampe L_1, aber kein Licht der Lampe L_2.

In den rot und grün bezeichneten Bereich gelangt kein Licht.

In den rot bezeichneten Bereich gelangt das Licht der Lampe L_2, aber kein Licht der Lampe L_1.

A 6: Der Taucher schaut vom optisch dichteren ins optisch dünnere Medium (von Wasser in Luft). Das Licht geht vom optisch dünneren ins optisch dichtere Medium über, wird also zum Einfallslot hin gebrochen. Bei einem Einfallswinkel von z. B. 85° in Luft, ergibt sich im Wasser ein Brechungswinkel von ca. 48°. In der Skizze sieht der Taucher alles, was sich innerhalb des Bereichs befindet, der durch die Lichtbündel mit Einfallswinkel 85° begrenzt wird.

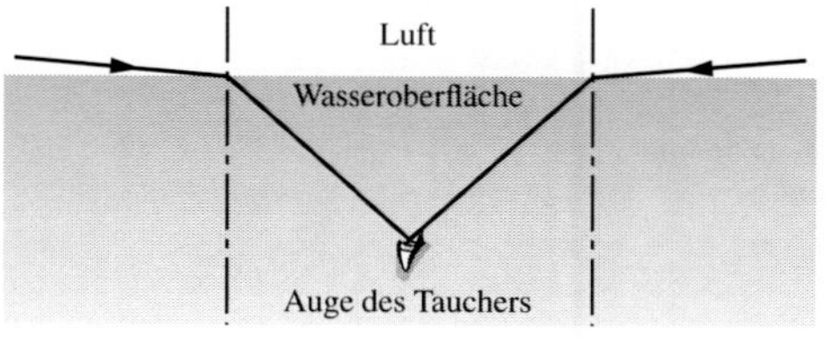

A 7: Totalreflexion kann nur beim Übergang vom optisch dichteren ins optisch dünnere Medium auftreten, weil nur bei diesem Übergang das Lichtbündel vom Einfallslot weg gebrochen wird. Dadurch kann es dazu kommen, dass das gebrochene Lichtbündel parallel zur Grenzfläche verlaufen würde. Die Totalreflexion steht nicht im Widerspruch zur Umkehrbarkeit des Lichtwegs, weil für jedes existierende Paar von Einfallswinkel im optisch dichteren und Brechungswinkel im optisch dünneren Medium das Licht auch den umgekehrten Weg nehmen könnte.

A 8: Der Brillant ist ein Diamant mit 57 Facetten (Oberteil: mindestens 32 Facetten + Tafel, Unterteil mindestens 24 Facetten + Kalette).

Entscheidend für das schöne Funkeln ist die hohe Lichtbrechung des Diamanten, denn damit ergibt sich

1. ein kleiner Grenzwinkel bei der Totalreflexion innerhalb des Steins. Ein Lichtstrahl in einem Diamanten (Brechungsindex $n_{\text{Diamant}} = 2{,}42$, kritischer Winkel $\beta_{\text{g, Diamant}} = 24{,}4°$) im Brillantschliff wird häufiger reflektiert als z. B. in einem Quarz (Brechungsindex $n_{\text{Quarz}} = 1{,}54$, kritischer Winkel $\beta_{\text{g, Quarz}} = 41°$). Damit wird viel des einfallenden Lichts zumBetrachter reflektiert.

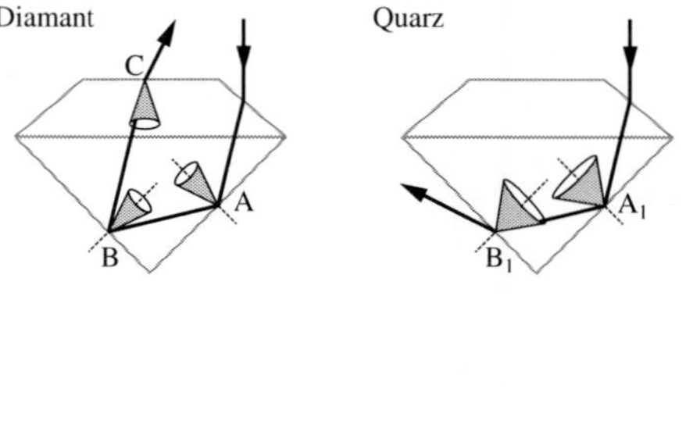

2. beim Austritt des Lichtstrahls an den Facetten des Oberteils Lichtbrechung. Das Licht wird in seine Spektralfarben zerlegt.

Hinweis: Die Auffächerung der Farben ist umso größer, je größer der Einfallswinkel ist, aber er muss natürlich kleiner als der Grenzwinkel sein.

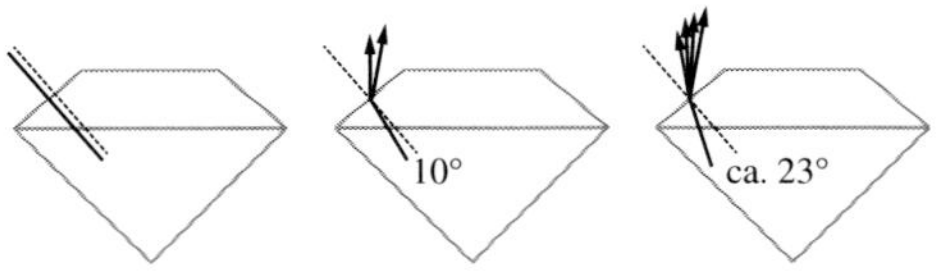

A 9: Die deutliche Sehweite ist bei Kurzsichtigen kleiner, sie können ein Buch dichter ans Auge halten. Die Bildhöhe *B* ist damit größer als bei Normalsichtigen.

A 10: Man muss man nach Osten blicken, da man die Sonne im Rücken haben muss.

A 11: a) Für den Abbildungsmaßstab gilt: $B/G = b/g$, mit $b = f_1 = 2$ m, $g = 380\,000$ km und $B = 1{,}8$ cm. Umstellung der Gleichung für den Abbildungsmaßstab liefert:

$G = B \cdot g/b = 1{,}8 \cdot 10^{-2}\ \text{m} \cdot 380\,000 \cdot 10^3\ \text{m}/2\ \text{m}$
$= 3\,420\,000\ \text{m} = 3420\ \text{km}.$

b) $V = f_1/f_2 = 2000\ \text{mm}/30\ \text{mm} \approx 67.$

A 12: Die Gegenstandshöhe ist jeweils G = 2 cm.

g in cm	*B* in cm	*b* in cm	*A*
9	1	4,5	1 : 2
8	1,2	4,8	3 : 5
4	6	12	3 : 1

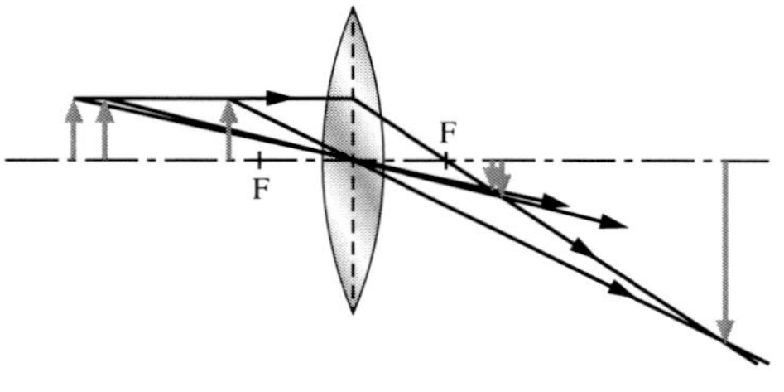

A 13: Wird ein Gegenstand fotografiert, der sehr weit vor dem Objektiv steht, so ist die Bildweite $b = f = 10$ cm.

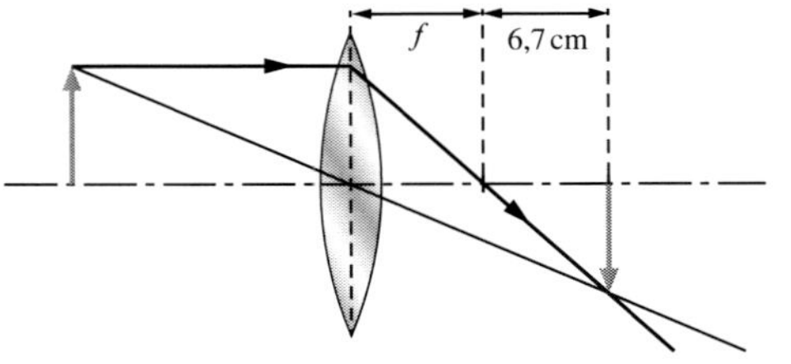

Die Zeichnung ergibt, dass das Bild etwa 6,7 cm hinter der Brennebene entsteht. Das Objektiv muss also um genau diese Streckenlänge verschoben werden.

A 14: a) Farbige Lichter werden unterschiedlich stark gebrochen.

b) Blaues Licht wird in Glas stärker gebrochen als rotes, sodass die Brennweite für blaues Licht kleiner ist als die für rotes Licht.

A 15: a) Das Kleid erscheint in der Mischfarbe von Rot und Grün (je nach Intensität der beiden farbigen Lichter evtl. Weiß oder Gelb).

b) Die beiden Schatten auf der Bühne sind jeweils Halbschatten. Der eine, der kein rotes Licht erhält, erscheint Grün, der andere Rot.

Kräfte und ihre Wirkungen

Seite 87

A 1: a) Mittlere Geschwindigkeiten auf den Streckenabschnitten von Stuttgart nach Hannover:

Strecke	Mittlere Geschwindigkeit in km/min	Mittlere Geschwindigkeit in km/h
Stuttgart–Mannheim	2,74	164
Mannheim–Frankfurt Flughafen	2,48	149
Frankfurt Flughafen–Frankfurt	1,00	60
Frankfurt–Kassel	2,38	143
Kassel–Göttingen	2,44	146
Göttingen–Hannover	3,09	185
Stuttgart–Hannover	2,50	150

b) Aus der Ruhe fährt der ICE an, er wird schneller bis er seine Reisegeschwindigkeit erreicht hat. Dann fährt er mit nahezu konstanter Geschwindigkeit weiter, wird mal ein wenig schneller oder langsamer – je nach Strecke. Schließlich bremst er bei Erreichen des nächsten Halteortes bis zum Stillstand ab.

c)

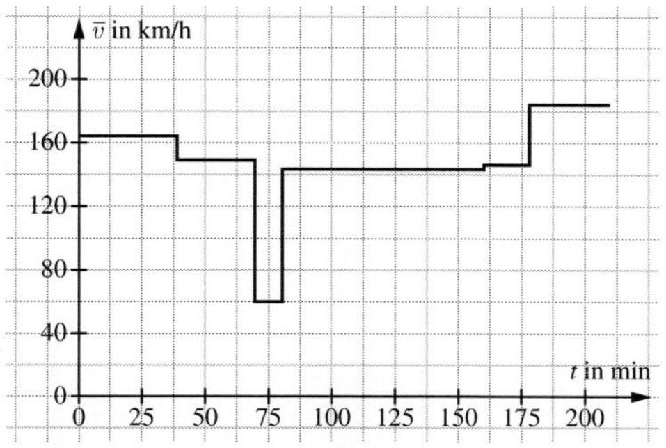

d) Gründe für die unterschiedlichen mittleren Geschwindigkeiten:

- Ausbau des Schienennetzes auf dem jeweiligen Streckenabschnitt
- Steigungen auf einem Streckenabschnitt
- Zahl der Kurven auf dem jeweiligen Streckenabschnitt
- Zahl der zu durchfahrenden Bahnhöfe (hier Geschwindigkeitsdrosselung)
- …

A 2: Die 3. Gerade verläuft steiler als die hellgrüne.

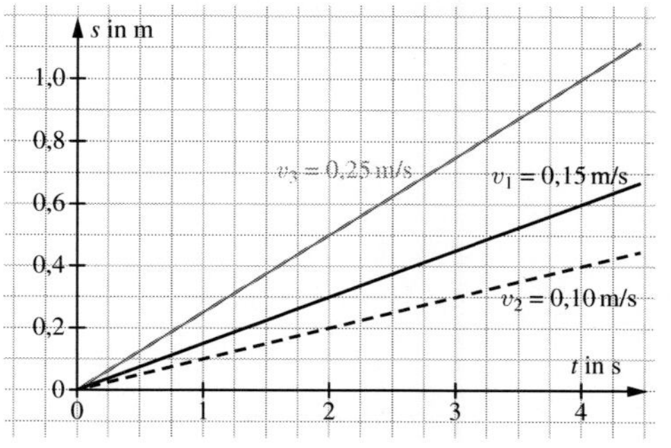

A 3: Sieger: v = 100 m/(13,7 s) = 7,30 m/s
Zweiter: v = 98,5 m/(13,7 s) = 7,19 m/s
Dritter: v = 96,4 m/(13,7 s) = 7,04 m/s
Weltrekord Frauen: v_{frau} = 100 m/(10,49 s) = 9,53 m/s
Weltrekord Männer: v_{mann} = 100 m/(9,58 s) = 10,44 m/s
(Stand November 2012)

Seite 89

A 1: a) Mögliche Geschichte zum *t*-*s*-Diagramm: Person A will B besuchen. Dessen Auto steht nicht vor der Tür, also macht er direkt kehrt. B ruft etwas später an, dass man sich noch treffen könne, darauf fährt A wieder los, aber langsamer, damit er nicht zu früh eintrifft.

b)

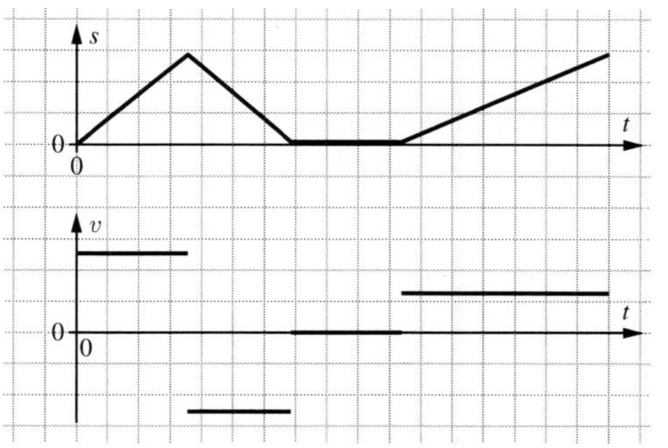

Alle Teilbewegungen von A sind Geraden; er führt also gleichförmige Bewegungen mit jeweils konstanter Geschwindigkeit aus. Im ersten und letzten Abschnitt ist die Geschwindigkeit von A positiv, da die Richtung vom Start zum Zielpunkt positiv gezählt wird. A braucht für diesen Weg im letzten Zeitabschnitt mehr Zeit, er hat also dort eine kleinere Geschwindigkeit. Im zweiten Abschnitt fährt A zurück, also in die andere Richtung. Somit ist seine Geschwindigkeit negativ. Betragsmäßig ist sie genau so groß, wie im ersten Teil, da er dieselbe Zeit benötigt. Im dritten Abschnitt steht A am Startpunkt, seine Geschwindigkeit ist also Null.

A 2: a)

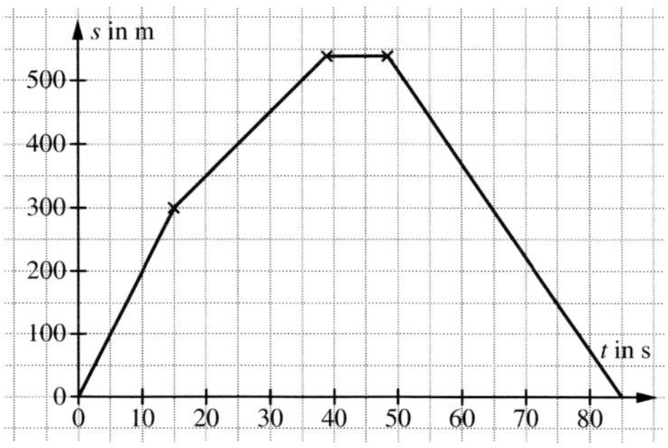

Vorbereitung:
72 km/h = (72 000 m)/(3600 s) = 20 m/s;
36 km/h = 10 m/s; −54 km/h = −15 m/s.
Man beginnt z. B. mit dem *t*-*v*-Diagramm:

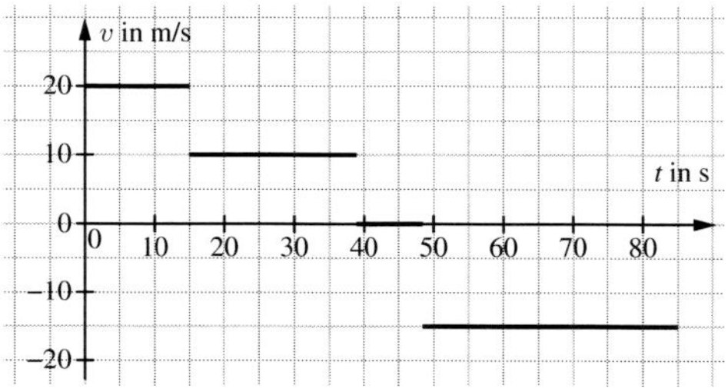

b) Der Start beginne bei $t_0 = 0$ s und $s_0 = 0$ m. Die jeweils mit konstanter Geschwindigkeit zurückgelegten Wege sind dann auf der Vorwärtsfahrt:
$s_1 - s_0 = v_1 \cdot (t_1 - t_0) = 20$ m/s $\cdot$ (15 s − 0 s) = 300 m,
$s_2 - s_1 = v_2 \cdot (t_2 - t_1) = 10$ m/s $\cdot$ (39 s − 15 s)
= 10 m/s · 24 s = 240 m,
$s_3 - s_2 = v_3 \cdot (t_3 - t_2) = 0$ m/s $\cdot$ (49 s − 39 s) = 0 m.
Gesamter Weg also 300 m + 240 m = 540 m.
Rückwärtsfahrt:
Der Zeitpunkt t_4 ist unbekannt, die Differenz aus letztem Ort und vorletztem ist aber bekannt:
$s_4 - s_3 = 0$ m − 540 m = −540 m.
Außerdem gilt:
$s_4 - s_3 = v_4 \cdot (t_4 - t_3) = -15$ m/s $\cdot$ (t_4 − 49 s),
also
−540 m = −15 m/s · (t_4 − 49 s) oder 36 s = t_4 − 49 s.
Die Rückfahrt dauert also 36 s und zwar im Zeitraum von 49 s bis t_4 = 85 s.

A 3: a) Vier Zeitabschnitte mit jeweils konstanter Geschwindigkeit:
0 h bis 1 h: v_1 = 60 km/h,
1 h bis 2,5 h: v_2 = 40 km/h,
2,5 h bis 4 h: v_3 = −30 km/h,
4 h bis 6 h: v_4 = 0 km/h (Stillstand am Ziel).
Ortsänderungen:
$s_1 - s_0 = v_1 \cdot (t_1 - t_0)$ = 60 km/h · 1 h = 60 km,
$s_2 - s_1 = v_2 \cdot (t_2 - t_1)$ = 40 km/h · (2,5 h − 1 h)
= 40 km/h · 1,5 h = 60 km,
$s_3 - s_2 = v_3 \cdot (t_3 - t_2)$ = −30 km/h · (4 h − 2,5 h)
= −30 km/h · 1,5 h = −45 km.
Zielort: s_3 = 60 km + 60 km − 45 km = 75 km
($s_4 = s_3$).

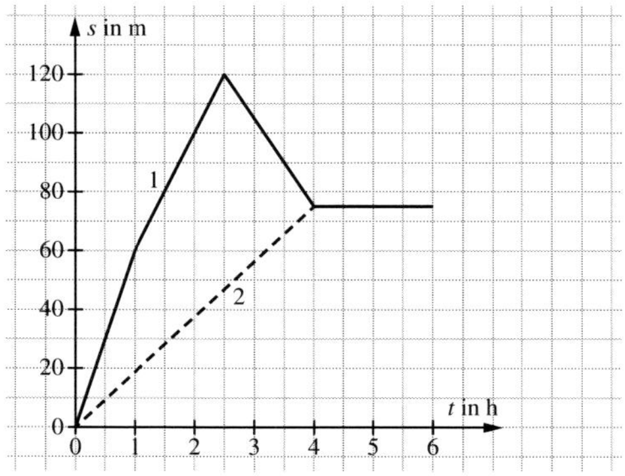

Zeit	Δ*t*	Geschwindigkeit	Δ*s*	Zielort
0–1 h	1 h	60 km/h	60 km	60 km
1–2,5 h	1,5 h	40 km/h	60 km	120 km
2,5–4 h	1,5 h	−30 km/h	−45 km	75 km
4–6 h	2 h	0 km/h	0 km	75 km

b) Da beide Fahrzeuge gleichzeitig am Zielort ankommen, fährt das andere Fahrzeug den Weg s = 75 km in der Zeit t = 4 h, somit mit der konstanten Geschwindigkeit $v = s/t$ = 18,75 km/h.

Seite 91

A 1: a) Ein Gegenstand fällt herunter. Ein Koffer wird angehoben. Ein Gummiband wird gespannt. Bei einem Autounfall werden Teile der Karosserie verformt. Ein Ball wird mit der Hand weggeworfen. Ein Fußballspieler stoppt einen Ball mit dem Fuß.
b), c) Begriffe im *nichtphysikalischen* Sinne:
Waschkraft, Überzeugungskraft, Leuchtkraft, Arbeitskraft, Aushilfskraft, …
Begriffe im *physikalischen* Sinne:
Muskelkraft, Windkraft, Gewichtskraft, Gegenkraft, Haftkraft, Hubkraft, Reibungskraft, Spannkraft, Zugkraft

A 2: **a)** *Werfer*: Meine Muskeln sind völlig angespannt, um den Ball mit möglichst großer Kraft auf das Tor werfen zu können.
Zuschauerin: Der Spieler übt auf den Ball eine Kraft aus, um ihn möglichst scharf auf das Tor werfen zu können.
b) *Torwart*: Ich muss den scharf geworfenen Ball mit großer Kraft abbremsen oder um das Tor herum lenken, damit kein Tor fällt.

A 3: Durch die Schläge wird der Sandsack *verformt* und *in Bewegung gesetzt*.

A 4: Die Besaitung und der Ball sind stark eingedrückt; offensichtlich wirken große Verformungskräfte an Saiten und Ball. Der Ball wurde stark abgebremst und wird in den nächsten Augenblicken wieder beschleunigt.

A 5:

„Ball ...	Wörtlich	Intention
… gehalten“	Der Ball wird vom Spieler „getragen“.	Der Torwart fängt den Ball. Oder: Ein Spieler hält den Ball unter Kontrolle.
… abgewehrt“	Der Spieler löst sich aus dem Angriff des Balles.	Der Ball wird durch Richtungsänderung am Tor vorbeigelenkt.
… verlängert“	Der Ball erhält eine längliche Form.	Der Ball erhält eine zusätzliche Kraft in Wegrichtung.

Seite 93

A 1: Schüler-Beispiele

A 2: **a)** Der Magnet übt keine erkennbare Kraft auf sich selbst aus. Die magnetische Kraft tritt erst durch einen Probekörper, z. B. aus Eisen auf.
b) Die Kraft kann mit einem Kraftmesser gemessen werden. Der Betrag der magnetischen Kraft hängt von der Größe und vom Abstand des Probekörpers zum Magneten ab.
Ein möglicher Versuchsaufbau ist hier dargestellt:

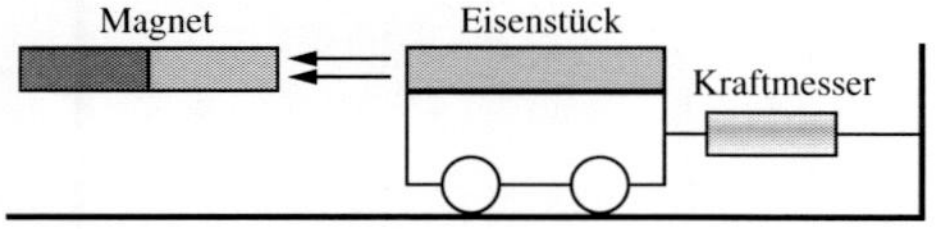

A 3: **a)** Im *oberen Bild* wirkt die Kraft in Bewegungsrichtung der Kugel. Sie behält diese Richtung bei und wird immer schneller.
Im *mittleren Bild* wirkt die Kraft gegen die Bewegungsrichtung. Die Kugel ändert ihre Bewegungsrichtung nicht; sie wird aber immer langsamer.
Im *unteren Bild* wirkt die Kraft senkrecht zur Bewegungsrichtung der Kugel. Die Kugel bleibt gleich schnell; sie ändert aber ihre Bewegungsrichtung.
b)

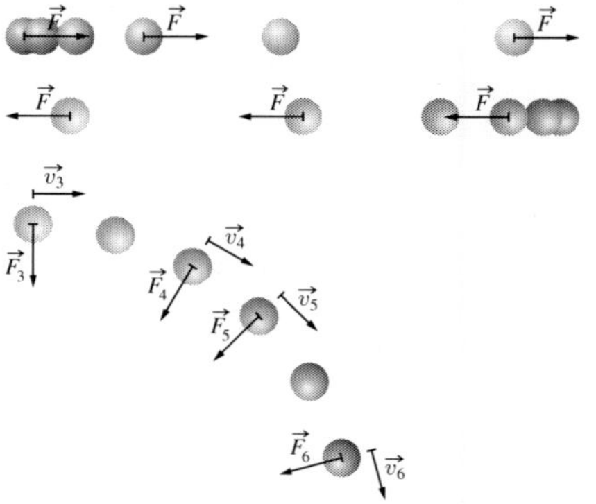

A 4: • Ein Gegenstand fällt herunter.
- Ein Koffer wird angehoben.
- Ein Gummiband wird gespannt.
- Bei einem Autounfall werden Teile der Karosserie verformt.
- Ein Ball wird mit der Hand weggeworfen.
- Ein Fußballspieler stoppt einen Ball mit dem Fuß.
- …

Ja, beim Tritt gegen einen Fußball wird dieser zunächst verformt. Dann ändert sich seine Geschwindigkeit, er wird schneller.

A 5: Die Lösung zeigt 92.B4, wenn die drei rechten Kraftmesser 100 N-Kraftmesser sind und links Max die Kraft von 300 N ausübt.

Seite 95

A 1: Die Gewichtskraft zeigt auf der Erde überall auf den gedachten „Erdmittelpunkt“. Da der Weitgereiste an seinem jeweiligen Aufenthaltsort wenig von der Kugelgestalt der Erde bemerkt, stimmen beide Aussagen.

A 2: a) Wir hängen den Expander an einem Deckenhaken auf und bestimmen die Expanderverlängerung, wenn die Schülerin Ina am Expander hängt. Diese so ermittelte Verlängerung wird mit der aus 91.B3 verglichen.
b) Die Begründung steht im Buch auf der Seite 95 im ersten Abschnitt links oben: So zeigen sehr genaue Kraftmesser, dass ein und derselbe Körper an den Polen eine andere Gewichtskraft erfährt als bei uns.

A 3: a) Um die Kräfte 2 bzw. 3 „Knet“ zu erzeugen, benötigen wir zwei bzw. drei Knetklumpen, die einzeln jeweils die Kraft 1 „Knet“ auf das Gummiband ausüben (jeweils die gleiche Verlängerung bewirken). Werden zwei bzw. drei dieser Knetklumpen gleichzeitig an das Gummiband gehängt, so entsprechen die Verlängerungen den Kräften 2 „Knet“ bzw. 3 „Knet“. Die gemessenen Verlängerungen müssen sich dabei nicht zwangsläufig verdoppeln oder verdreifachen.
b) Um 0,5 „Knet“ zu erhalten, müssen wir zwei Knetklumpen herstellen, die unter sich die gleiche Gewichtskraft und zusammen die Gewichtskraft 1 „Knet“ erfahren.
c) Wir hängen den 1 „Knet“-Klumpen an einen Newton-Kraftmesser.

A 4: *Pro*: Kraftmesser bestehen hauptsächlich aus Federn, die beim Messen verlängert werden. Die gleichmäßigen Skalen von Kraftmessern erinnern an Längenmaßstäbe.
Kontra: Die bloße Angabe einer Federverlängerung ist dennoch abzulehnen, weil es Kraftmesser mit unterschiedlichen Messbereichen gibt. Die gleiche Verlängerung entspricht also nicht stets der gleichen Kraft.

A 5: a) Es ist irreführend zu sagen, Körper sind schwer. Jeder Körper erfährt nämlich seine Gewichtskraft erst von der Erde als Anziehungskraft. Die Aussage muss richtig lauten: Die Ananas erfährt eine Gewichtskraft von 30 N.
b) Die Aussage muss richtig lauten: Die Masse der Kiste mit Tomaten ist 150 kg. Der umgangssprachliche Begriff „wiegen“ ist nicht korrekt. Beim „Wiegen“ werden Gewichtskräfte gemessen.

Seite 97

A 1: a) Man misst in der Küche mit einem Messbecher möglichst genau 1 ℓ Wasser ab. Das Wasser sollte die Temperatur von 4 °C haben, ansonsten so niedrig wie möglich. Stellt man diese Wassermenge auf die Küchenwaage, sollte sie „1 kg“ anzeigen. Die Küchenwaagen sind Federwaagen und messen die Gewichtskraft. Trotzdem „eicht“ man die Skala in kg (vgl. 97.A2b)!
b) Auf dem Mond hat 1 ℓ Wasser die Masse 1 kg und erfährt die Gewichtskraft 1,6 N.

A 2: a) Federn sind zum Massenvergleich nur am gleichen Ort geeignet.
b) Kraftmesser mit einer Skala in kg wären nur an einem Ort korrekt.

A 3: a) Urkilogramm auf dem Mond: $m = 1$ kg; $G = 1{,}6$ N.
b) kg- und g-Aufschriften sind ortsunabhängig.

A 4: Masse bedeutet einen ortsunabhängigen „Besitzstand“; die Gewichtskraft braucht das Einwirken eines anziehenden Körpers.

A 5: Da die Masse ortsunabhängig ist, hat der Aufbewahrungsort keinerlei Bedeutung.

A 6: Annis Behauptung ist falsch. Susi könnte so argumentieren:
Die Kruste gibt dem Wägestück mehr Masse als der Angabe entspricht. Die Waage vergleicht die Gesamtmassen; also ist die Zuckermasse größer als 1 kg.

A 7: a) Die Gewichtskraft, die ein Körper erfährt, hängt vom jeweiligen Ort ab. Beim Ortswechsel verändert sich die „Substanz“ des Körpers aber nicht. Der Begriff Masse kennzeichnet diesen beim Ortswechsel unveränderten „Besitzstand“ des Körpers.
b) Beim Handel mit Waren wird im Allgemeinen der Begriff „Gewicht“ verwendet. Damit ist eigentlich der physikalische Begriff „Masse“ gemeint, weil das „Gewicht“ früher (teilweise auch noch heute) mit Balkenwaagen ermittelt wurde. Der Sachverhalt, der in der Physik mit dem Begriff „Gewichtskraft“ im Sinne von Gravitationskraft gemeint ist, spielt im Alltag auf der Erde eine zu geringe Rolle.

Seite 99

A 1: a) Die Angaben dieser Personenwaagen lassen die Ortsabhängigkeit der Gewichtskraft unberücksichtigt. Sie können also nur ungefähr stimmen, z. B. für Mitteleuropa. Solche Waagen sind für den „geschäftlichen und amtlichen Verkehr“ nicht zugelassen.

b) Hans würde auf dem Mond weniger Übergewicht feststellen, wenn er sich mit einer üblichen Personenwaage wiegen würde, die auf die Gewichtskraft anspricht (Messprinzip über Federn, Dehnungsmessstreifen, Piezoeffekt, … siehe z. B. Internetrecherche Stichwort „Messprinzip Personenwaage").
Aber er würde auf dem Mond das gleiche „Übergewicht" feststellen, wenn er sich mit einer Art Balkenwaage wiegen würde.
Eine Personenwaage misst über Federn die Gewichtskraft, die auf Erde und Mond verschieden ist.
Die Balkenwaage ermöglicht eine Vergleichsmessung der Massen.
c) Die Masse einer Warenmenge ist überall gleich. Die Gewichtskraft jedoch hängt vom Ort ab.

A 2: Die ersten beiden Aussagen sind korrekt.
Die dritte Aussage ist umgangssprachlich und muss physikalisch korrekt lauten: Um den Fußball zu werfen, muss Lukas eine große Kraft auf den Fußball ausüben.
Die vierte Aussage ist nicht korrekt. Kraft ist kein Besitzstand eines Körpers. Korrekt müsste es heißen: Die Kugel fliegt weit und hat deshalb beim Abwurf von Lukas viel Bewegungsenergie erhalten. Da die Energie an dieser Stelle noch nicht behandelt ist, könnte der Schüler physikalisch korrekt sagen: Die Kugel fliegt weit und hatte deshalb zu Beginn der Bewegung eine große Anfangsgeschwindigkeit. Oder: Die Kugel fliegt weit, weil Lukas beim Abwurf eine große Kraft auf den Speer ausgeübt hat.
Die fünfte Aussage wäre korrekt, wenn man unter „Gewicht" die Masse versteht (siehe Lösung 97.A7b). Korrekt ist auf jeden Fall die Aussage: Der Speer hat eine Masse von 600 g.
Zur sechsten Aussage: „Leicht" und „schwer" sind keine Eigenschaften eines Körpers. Die physikalisch korrekte Aussage lautet: Die Masse des Fußballs ist kleiner als die Masse der Kugel. Oder: Der Fußball erfährt an demselben Ort eine kleinere Gewichtskraft als die Kugel.
Zur siebten Aussage: Entsprechend zur sechsten Aussage ist sie physikalisch nicht korrekt. Korrekt wären die Aussagen: Die Kugel und der Speer haben etwa dieselbe Masse. Oder: Kugel und Speer erfahren an demselben Ort etwa dieselbe Gewichtskraft.

A 3: Man erhält nicht die gleiche Anzahl Erbsen, an den Polen bekäme man am wenigsten, auf dem Mond am meisten Erbsen.
Begründung: Mit dem Federkraftmesser wird die Gewichtskraft der Erbsen bestimmt. Die Gewichtskraft einer Erbse ist bei den genannten Gebieten an den Polen am größten und auf dem Mond am kleinsten. Um Erbsen mit einer gesamten Gewichtskraft von 10 N zu erhalten, benötigt man daher an den Polen am wenigsten Erbsen, auf dem Mond am meisten (Voraussetzung: alle Erbsen haben dieselbe Masse).

A 4: Nordpol: $G = 983$ N, Mitteleuropa: $G = 981$ N, Äquator: $G = 978$ N, Differenz: 983 N – 978 N = 5 N.

A 5: **a)** Venus: $g = 8{,}5$ N/kg; $m = G/g$, also $m = 43$ N/(8,5 N/kg) = 5,1 kg.
b) $G = m \cdot g = 5{,}1\ \text{kg} \cdot 9{,}81\ \text{N/kg} = 50\ \text{N}$.
In 6370 km Höhe ist die Gewichtskraft auf den vierten Teil der Gewichtskraft an der Erdoberfläche gesunken (S. 95, zweiter Abschnitt von oben), also auf 22,5 N.
c) Die Masse einer Schülerin oder eines Schülers betrage 60 N. Dann erfährt sie/er auf dem Mars eine Gewichtskraft von $G = m \cdot g = 60\ \text{kg} \cdot 3{,}7\ \text{N/kg} = 222\ \text{N}$.

A 6: **a)** Die Astronauten haben einen Kraftmesser für den Gewichtskraftbetrag $G = 74$ N und eine Balkenwaage für die Bestimmung der Masse $m = 20$ kg benutzt.
b) Da der Ortsfaktor
$g = G/m = 74\ \text{N}/20\ \text{kg} = 3{,}7\ \text{N/kg}$
ist, sind die Astronauten nach Tabelle 98.T2 auf dem Mars gelandet.

A 7: **a)** Hält man den mit Wasser gefüllten Becher, der ein Loch im Boden hat, fest in der Hand, tropft Wasser in den Eimer und der Becher entleert sich. Lässt man dagegen den mit Wasser gefüllten Becher fallen, tropft kein Wasser aus dem Loch. Becher und die gesamte Wassermenge fallen gleichzeitig in den Eimer.
b) Wird der mit Wasser gefüllte Becher festgehalten, tropft deshalb Wasser aus dem Becher, weil die Gewichtskraft, die die Erde auf das Wasser ausübt, die Wassertropfen nach unten fallen lässt.
Wird der Becher nicht mehr festgehalten, bewirkt die Gewichtskraft, dass sowohl Becher wie auch Wasser in Bewegung gesetzt werden und nach unten fallen. Würde jetzt noch Wasser aus dem Loch tropfen, müsste die Gewichtskraft, die auf das Wasser wirkt, dem Tropfen eine größere Geschwindigkeit erteilen, als der Becher durch die Gewichtskraft erhält, die auf ihn durch die Erde ausgeübt wird. Da dies nicht der Fall ist, müssen Becher und Wasser infolge der auf sie einwirkenden Gewichtskraft mit der gleichen Geschwindigkeit nach unten fallen. Man beobachtet auch nicht, dass der Becher früher in den Eimer fällt als das Wasser!

Seite 101

A 1: Es handelt sich hier offensichtlich um zwei verschiedene Holzproben. Die Messwerte 1 bis 3 gehören zu einer „leichteren" Holzsorte entsprechend der grafischen Darstellung in Bild 2.
Die Messwerte 4 und 5 gehören zu einer „schwereren" Holzsorte.

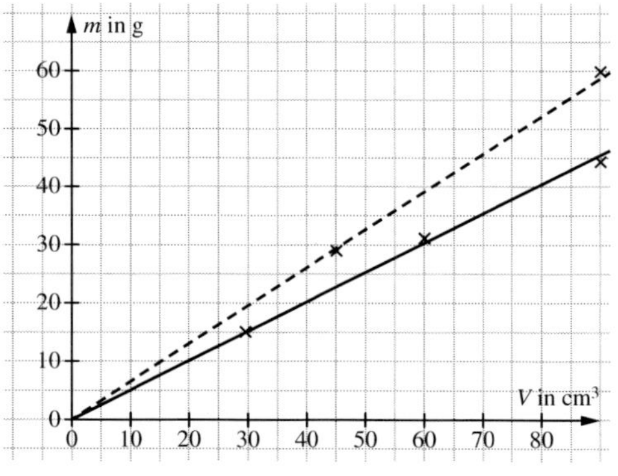

A 2: **a)** Man zeichnet eine Parallele zur m-Achse durch $V = 40\ \text{cm}^3$. Dann zeichnet man vom Schnittpunkt mit der jeweiligen Geraden eine Parallele zur V-Achse. Auf der m-Achse liest man den Wert ab.
b) Man zeichnet eine Parallele zur V-Achse durch $m = 50$ g bzw. $m = 100$ g. Dann zeichnet man vom Schnittpunkt mit der jeweiligen Geraden eine Parallele zur m-Achse. Auf der V-Achse liest man den Wert 50 g (100 g) ab:
Blei: $V = 4\ (8)\ \text{cm}^3$; Alu: $V = 18\ (36)\ \text{cm}^3$;
Wasser: $V = 49\ (99)\ \text{cm}^3$; Holz: $V = 98\ (198)\ \text{cm}^3$

A 3: Eine Abschätzung der Masse könnte wie folgt ablaufen: Der Körper ist grob ein Würfel mit einer Kantenlänge von 0,6 m, hat also ein Volumen von $0{,}6 \cdot 0{,}6 \cdot 0{,}6\ \text{m}^3$, d. h. etwa von $0{,}2\ \text{m}^3 = 200\,000\ \text{cm}^3$. Ohne in der Tabelle nachzusehen, schätzt man die Dichte von Marmor auf vielleicht 2 bis 3 g/cm³, also 2,5 g/cm³ (die Schülerinnen und Schüler sollen hier ein „Gefühl" für die Größe der Dichte bekommen). Somit berechnet sich die Masse
$M = \varrho \cdot V = 500\,000\ \text{g} = 500\ \text{kg} = 0{,}5\ \text{t}$.
Rechnung:
$\varrho = 2{,}5\ \text{g/cm}^3$. $V = 79 \cdot 68 \cdot 56\ \text{cm}^3 = 300\,800\ \text{cm}^3$.
Somit ist
$M = \varrho \cdot V = 300\,800\ \text{cm}^3 \cdot 2{,}5\ \text{g/cm}^3$
$= 752\,000\ \text{g} = 752\ \text{kg} = 0{,}752\ \text{t}$.
Die Gewichtskraft ist
$G = m \cdot g = 752\ \text{kg} \cdot 9{,}81\ \text{N/kg}$, angenähert 7400 N.

A 4: Es gilt, wenn die Volumina gleich sind:
$V_1 = V_2$, also $m_1/\varrho_1 = m_2/\varrho_2$.
Daraus folgt $m_1/m_2 = \varrho_1/\varrho_2$.
Wenn der Körper 1 die dreifache Masse von Körper 2 hat, dann hat er auch die dreifache Dichte:
$m_1 = 3\ m_2$, also $\varrho_1 = 3\ \varrho_2$.
Für den Fall, dass Körper 1 die gleiche Masse wie Körper 2 hat, aber das fünffache Wolumen gilt:
$m_1 = m_2$, also $V_1 \cdot \varrho_1 = V_2 \cdot \varrho_2$.
Daraus folgt für $V_1 = 5\ V_2$: $\varrho_1 = \frac{1}{5}\varrho_2$.

A 5: Die Dichten werden miteinander verglichen, indem die Quotienten m/V gebildet werden und man die Ergebnisse vergleicht:
Schwamm 1: $\varrho_1 = m_0/V_0$;
Schwamm 2: $\varrho_2 = 2\ m_0/2\ V_0 = \varrho_1$;
Schwamm 3: $\varrho_3 = 2\ m_0/V_0 = 2\ \varrho_1$;
Schwamm 4: $\varrho_4 = m_0/0{,}5\ V_0 = 2\ \varrho_1$.
Schwamm 1 und 2 haben die gleiche Dichte, ebenso auch Schwamm 3 und 4, aber die Schwämme 3 und 4 haben eine doppelt so hohe Dichte wie die Schwämme 1 und 2. Damit erfährt Schwamm 3, trotz gleichen Volumens zu Schwamm 1, eine doppelt so große Gewichtskraft wie Schwamm 1.

A 6: **a)** $V = m/\varrho = 100\ \text{g}/(0{,}017\ \text{g/cm}^3) = 5882\ \text{cm}^3$.
b) Styroporvolumen in 1 cm³ Schaumstoff:
$V_{\text{Styropor}} = 0{,}017\ \text{g}/(1{,}7\ \text{g/cm}^3) = 0{,}01\ \text{cm}^3$;
Luftvolumen in 1 cm³ Schaumstoff:
$V_{\text{Luft}} = 0{,}99\ \text{cm}^3$.

A 7: Die Masse m der Luft im Physiksaal beträgt
$m = \varrho \cdot V = 1{,}29\ \text{g/dm}^3 \cdot V$.
Bei einem Volumen des Klassenraums von z. B.
$V = 100\ \text{m}^3 = 100\,000\ \text{dm}^3$
ist
$m = 1{,}29\ \text{g/dm}^3 \cdot V = 129\,000\ \text{g} = 129\ \text{kg}$.
Der Luftdruck am Boden unserer Atmosphäre ändert sich mit der Wetterlage geringfügig. Entsprechend schwankt auch die Dichte der Luft und damit die Masse der Luft im Klassenraum.

Seite 103

A 1: Die Summe aller nach rechts wirkenden Kräfte beträgt 1850 N; die Summe der fünf bekannten, nach links wirkenden Kräfte beträgt 1485 N. Also beträgt die zwölfte Kraft:
$F_{12} = 1850\ \text{N} - 1485\ \text{N} = 365\ \text{N}$.

A 2: Ein Luftballon kann verformt werden, indem man mit beiden Händen an ihm zieht oder auf ihn drückt.
Zugverformung: Gummiband oder dünne Folie.
Druckverformung: Radiergummi oder Feder im Kugelschreiber.

Seite 105

A 1: Der Impuls eines Pkw hängt nicht nur von dessen Geschwindigkeit sondern auch von dessen Masse ab. Der Impuls des überholenden Pkws wäre doppelt so groß wie die des überholten Pkws, wenn beide Pkws die gleiche Masse hätten. Damit sie gleich große Impulse haben, müsste der langsamere die doppelte Masse des schnelleren Pkws haben.

A 2: **a)** $\vec{p}_1, \vec{p}_2, \vec{p}_4, \vec{p}_5, \vec{p}_7$ haben alle die gleiche Länge, also haben diese Impulse auch gleiche Beträge. Ebenso haben $\vec{p}_3$ und $\vec{p}_6$ gleiche Beträge.
b) $\vec{p}_2$ und $\vec{p}_7$ beschreiben gleiche Impulse, da die Pfeile in Länge **und** Richtung übereinstimmen.

A 3: Der Wagen ($m = 1$ kg, $v = 1$ m/s) erhält einen Impulspfeil von 1 LE, dann hat
a) der Golfball ($m = 40$ g, $v = 40$ m/s) einen Impulspfeil der Länge $0{,}04 \cdot 40 \cdot 1$ LE $= 1{,}6$ LE,
b) der Fußgänger ($m = 70$ kg, $v = 3{,}6$ km/h $= 1$ m/s) einen Impulspfeil der Länge $70 \cdot 1 \cdot 1$ LE $= 70$ LE.

A 4: Aufgrund der zerstörerischen Wucht des leichten aber schnellen Geschosses könnte man vermuten, dass dessen Impuls ziemlich groß sei. Der folgende Vergleich mit einem 1 kg-Wagen, dessen Impuls gleich groß ist, widerlegt die Vermutung:
Die Impulseinheit entspricht der Pfeillänge 1 cm.
Länge des Impulspfeils der 300 m/s schnellen Gewehrkugel: $0{,}0025 \cdot 300 \cdot 1$ cm $= 0{,}75$ cm. Die Geschwindigkeit des 1-kg-Wagens müsste 0,75 m/s betragen (langsames Gehen).

Seite 107

A 1: **a)** Der Betrag des Impulses wird geändert,
- wenn ein Wagen einer Modelleisenbahn auf einem geraden Schienenstück angeschoben und wieder abgebremst wird. Die Kraft in Fahrtrichtung des Wagens vergrößert dessen Impuls, entgegengesetzt zur Fahrtrichtung verringert sie ihn. Die Richtung des Impulses ändert sich nicht.
- wenn ein Ball aus der Ruhe fallen gelassen wird. Seine Gewichtskraft wirkt während des Falls in Bewegungsrichtung. Der Betrag seines Impulses nimmt zu, die Richtung des Impulspfeils zeigt dabei stets lotrecht nach unten.
- wenn die Reibungskraft einen geradlinig gleitenden Puck (Eishockey) langsamer werden lässt. Der Impuls behält seine Richtung bei. Wegen der Reibung nimmt jedoch seine Geschwindigkeit und damit auch der Betrag seines Impulses ab.

b) Die Richtung des Impulses wird geändert,
- wenn die Kraft einer seitlichen Windböe auf einen Radler dessen Fahrtrichtung und nicht dessen Schnelligkeit ändert. Die Böe gibt dem Impuls des Radlers eine geringfügig andere Richtung. Der Betrag seines Impulses bleibt jedoch gleich groß.
- wenn ein Beifahrer in 107.B3 durch das offene Seitenfenster gegen den Karton auf dem Autodach drückt, sodass der Karton die Kurvenfahrt bei konstanter Tacho-Anzeige mitmacht. Der Impuls des Kartons ändert dann nur seine Richtung und nicht seinen Betrag.
- wenn ein Astronaut in der Schwerelosigkeit einen an ihm vorbei schwebenden Ball senkrecht zur Bewegungsrichtung anbläst. Der Impuls des Balls ändert so nur die Richtung. (Mit einer an dem Ball befestigten Schnur könnte dieser – ähnlich wie ein Schleuderball – auf eine Kreisbahn gezwungen werden ohne schneller oder langsamer zu werden. Die Schnur würde dabei ständig die Impulsrichtung des Balls ändern, nicht den Betrag des Impulses.)

c) Zum Beispiel:
- Ein Körper kann Impuls haben, obwohl auf ihn keine Kraft wirkt.
- Die Gewichtskraft eines Körpers ist konstant. Sein Impuls ändert sich jedoch aufgrund dieser Kraft, wenn man den Körper fallen lässt.
- Beim Abbremsen eines Wagens sind Kraftvektor und Impulsvektor entgegengesetzt gerichtet.

A 2: Bevor der Aufzug anfährt, hat mein Impulspfeil die Länge null.
Beim Anfahren – z. B. nach oben – erhalte ich einen Impuls, dessen Vektor nach oben zeigt. Seine Länge nimmt während des Schnellerwerdens zu. Ich spüre dabei eine von unten auf mich wirkende Kraft, die mich nach oben in Bewegung setzt.
Sobald der Aufzug mit konstanter Geschwindigkeit fährt, ist diese Kraft verschwunden. Der Impulspfeil hat seine maximale Länge erreicht und behält diese bei. Man hat das gleiche Gefühl wie im ruhenden Aufzug oder außerhalb des Aufzugs.

Beim Abbremsen nimmt die Länge des Impulspfeils wieder bis auf null ab. Dabei habe ich das Gefühl, mein Gewicht sei vorübergehend geringer, weil meine Füße nun eine etwas kleinere Kraft spüren. Die Gewichtskraft hat sich aber nicht geändert. Ihr nach unten gerichteter Kraftpfeil ist etwas größer als der vom Boden nach oben auf mich wirkende Kraftpfeil. Die Resultierende zeigt nach unten. Deshalb nimmt beim Abbremsen die Länge meines Impulspfeils wieder bis auf null ab.

A 3: Zieht man die Karte langsam weg, so folgt die Münze der seitlichen Bewegung der Karte. Beim schnellen Wegziehen der Karte kann sie ihr jedoch nicht mehr folgen. Die Münze müsste dazu nun in einer kürzeren Zeit eine viel größere Impulsänderung erfahren. Also müsste auf sie in Bewegungsrichtung eine viel größere Kraft wirken. Die Postkarte kann eine so große Kraft nicht auf die Münze übertragen, da sie eine zu glatte Oberfläche hat. Münze und Postkarte haften nicht genügend aufeinander.

Seite 109

A 1: Je schneller man anfährt, umso größer ist die Impulsänderung des abgeschleppten Wagens, also auch die Zugkraft. Das Seil könnte bei zu schnellem Anfahren reißen.

A 2: Im Gegensatz zum harten Steinboden gibt der weiche Teppich beim Auftreffen des Glases ein wenig nach. Die gleiche Impulsänderung erfolgt deshalb beim Steinboden in kürzerer Zeit als beim weichen Teppich. Entsprechend größer sind beim Fall auf den Steinboden die Kräfte auf das Glas.

A 3: Dem 1 m/s schnellen 1-kg-Wagen geben wir einen Impulspfeil der Längeneinheit 1 LE.
Wäre er so schnell wie die Radlerin, hätte er bei deren Geschwindigkeit von 10 m/s einen Impuls der Längeneinheit 10 LE.
Die Impulspfeile von Gabi, Fahrrad und Gabi samt Fahrrad haben dann die folgenden Längen:
Gabi: $40 \cdot 10$ LE = 400 LE,
der Impulspfeil ist also 400-mal so lang wie der des 1 m/s schnellen 1-kg-Wagens,
Fahrrad: $18 \cdot 10$ LE = 180 LE;
er ist also 180-mal so lang wie der des Wagens,
Gabi samt Fahrrad: $58 \cdot 10$ LE = 580 LE;
er ist also 580-mal so lang wie der des Wagens.

A 4: Würde Hans mit doppelter Kraft Gabi auf ihrem Fahrrad anschieben, dann hätte er bereits nach der halben Zeit die gleiche Geschwindigkeit erreicht. Ebenso würde er für das Abbremsen mit doppelter Kraft nur die halbe Zeit benötigen.

Seite 111

A 1: Die Haftreibungskraft und die Gleitreibungskraft sind auf rauem Betonboden relativ groß, auf gefliestem Fußboden relativ klein. Haft- und Gleitreibungskraft auf Holzböden hängen besonders von der jeweiligen Oberflächenbeschaffenheit ab (rissig; geschliffen; gewachst …).
Außerdem ist die Haftkraft, die für das Gleiten überschritten werden muss, jeweils größer als die Gleitreibungskraft beim Schieben.

A 2: Beim Gehen wird man abwechselnd schneller und langsamer. Dazu muss man auf den Teppich (außer der senkrechten Kraft) auch eine waagerechte Kraft ausüben können. Der Teppich seinerseits übt eine zu dieser waagerechten Kraft entgegengesetzte Kraft auf den Körper aus. Dadurch wird Gehen erst ermöglicht. Damit das funktioniert, ist Reibung erforderlich. Oft ist sie erst durch besondere Vorkehrungen groß genug. Es gibt „rutschfeste“ Unterlagen, meist Gumminetze, die zwischen Teppich und glattem Boden eine starke Haftreibungskraft bewirken. Eine noch größere Haftreibung bekommt man durch Teppichkleber.
Die Gleitschutzunterlage sorgt also für eine größere Reibung zwischen glattem Untergrund und Teppich, sodass man beim Gehen nicht mit dem Teppich wegrutscht.

A 3: 1. Das Laufen im Gras erfordert zusätzliche Kräfte für das Umbiegen der Halme.
2. Asphalt ist wegen der guten Haftreibung für sicheres Laufen von Vorteil.
3. Nasse Fliesen und Eis führen zu geringen Haftkräften zwischen Schuh und Boden.

Seite 113

A 1: Für Radius r_2 und Zugkraft $\vec{F}_2$ muss gelten:
$F_2 \cdot r_2 = M_2 = 9{,}0\ \mathrm{N\,cm}$.
Beispiele für (F_2; r_2):
(4,5 N; 2,0 cm), (3,6 N; 2,5 cm), (2,5 N; 3,6 cm), (1,8 N; 5,0 cm), (1,5 N; 6,0 cm), (1,0 N; 9,0 cm).

A 2: 112.B1b stellt drei verschiedene Zugkräfte dar: Jede von ihnen kann das Drehmoment der Last ausgleichen, denn es kommt auf das übereinstimmende Produkt aus Kraftbetrag und Radius an. Hier haben die Kräfte gleiche Beträge und die Kraftarme gleiche Länge – auf die unterschiedlichen Richtungen kommt es dafür nicht an.

Seite 115

A 1: Mit $M = F_1 \cdot r_1 = F_2 \cdot r_2 = (\frac{1}{4} F_1) \cdot (4\, r_1)$ und $r_1 + r_2 = 2{,}00$ m, d. h. $r_1 + r_2 = r_1 + (4\, r_1) = 2{,}00$ m ergibt sich: $r_1 = \frac{1}{4} \cdot 2{,}00 \text{ m} = 0{,}40$ m.

A 2: Die Messpunkte liegen auf einem Hyperbelast. Alle Rechtecke, die im Diagramm von den Achsen aus bis zu den Messpunkten gebildet werden, haben gleichen Flächeninhalt, denn alle Produkte $F_2 \cdot r_2$ sind gleich groß.

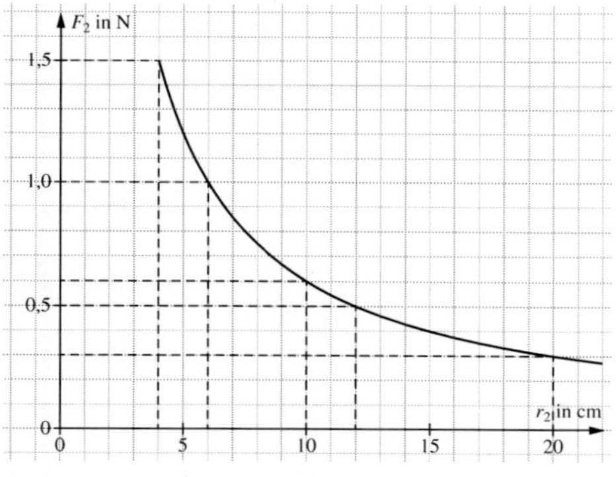

A 3: Aus $F_1 \cdot r_1 = F_2 \cdot r_2$ folgt durch äquivalente Umformung $F_1 : F_2 = r_2 : r_1$.
Das Verhältnis der Kräfte ist gleich dem umgekehrten Verhältnis der zugehörigen Kraftarme.
Ist also z. B. die Kraft F_1 dreifach so groß wie die Kraft F_2, so ist der Kraftarm r_1 dreimal so klein wie der Kraftarm r_2.

A 4: Da Pia *leichter* ist, gehört zu ihr der *größere* Kraftarm: $r_{Pia} = 3{,}0$ m. Es gilt: $F_{Pia} \cdot r_{Pia} = F_{Ria} \cdot r_{Ria}$, mit $F = m \cdot g$.
Also: $52 \text{ kg} \cdot g \cdot 3{,}0 \text{ m} = m_{Ria} \cdot g \cdot 2{,}6$ m;
folglich ist: $m_{Ria} = 52 \text{ kg} \cdot 3{,}0 \text{ m}/2{,}6 \text{ m} = 60$ kg.

A 5: Trotz der Schräglage des Hebels bleiben die Kräfte gleich und auch ihre Wirkungslinien senkrecht; folglich bleiben die Kraftarme waagerecht, jedoch werden sie verkürzt, und zwar beim Winkel 60° genau auf die Hälfte ihrer ursprünglichen Länge. Daher verkleinern sich die Drehmomente ebenfalls auf die Hälfte: $M_{60°} = 3{,}0$ N cm.

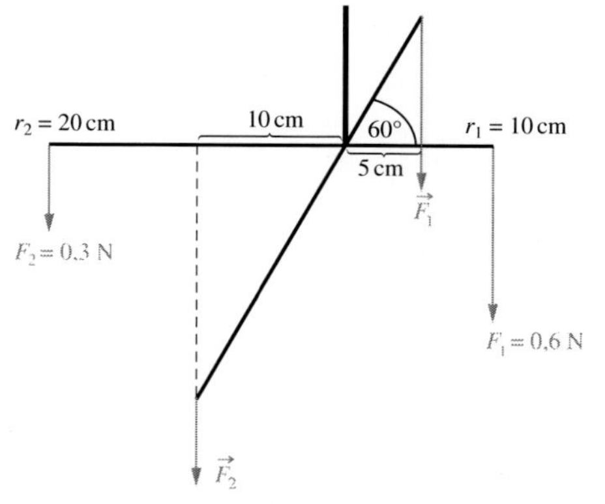

A 6: a) Größtmöglicher Kraftarm (etwa Türbreite): So erhält eine bestimmte Kraft das größtmögliche Drehmoment.
b) Kraftarm 0 m: Mit jeder beliebigen Kraft kommt für das Drehmoment nur der Wert 0 Nm zustande.
c) Kraftarm zwischen Fall a) und Fall b): Im Vergleich zum Fall a) ergibt die gleiche Kraft ein kleineres Drehmoment – ein gleiches Drehmoment erfordert größere Kraft.

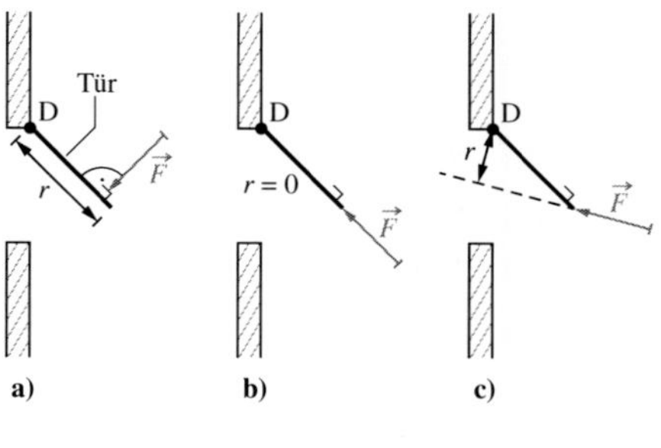

A 7: Das Rad im Versuch 114.V1 hat ein quadratisches Punktraster; die Rastereinheit ist 3 cm. Man erkennt dies z. B. an Strecke AD, deren Länge $r_1 = 6$ cm zwei Rasterpunkten entspricht.
Punkt C ist ebenfalls ein Rasterpunkt. Punkt C liegt auf gleicher Höhe wie der zweite Rasterpunkt über D. Wenn die Kraft in C zur Waagerechten umgelenkt wird, so erhält ihre dann vertikale Wirkungslinie von der Drehachse einen Abstand von ebenfalls 2 Rastereinheiten, also 6 cm. Die zugehörige Kraft beträgt nun 51 N cm/6 cm = 8,5 N – wie F_1 in 114.V1.

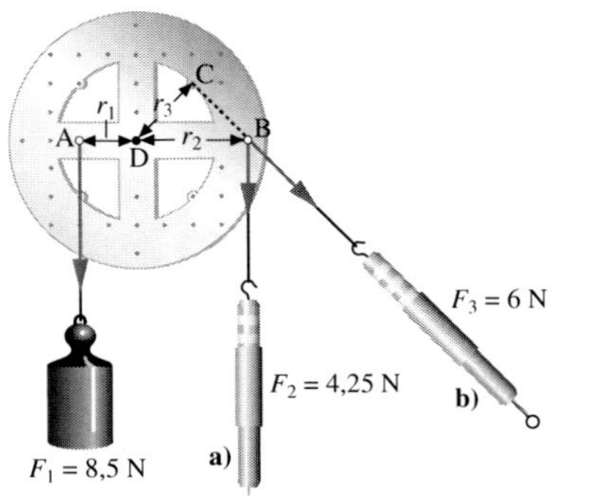

Seite 117

A 1: *Pinzetten* wirken wie einseitige Hebel, *Zangen* sind dagegen zweiseitige Hebel. Das Verhältnis der Kräfte wird durch das Verhältnis der Kraftarme bestimmt.
Bei *Pinzetten* greifen die Finger mit dem kleineren Kraftarm. Sie braucht eine größere Kraft, dafür einen kürzeren Weg.
Bei *Zangen* hat der Griff den größeren Kraftarm: Die Hand braucht eine kleinere Kraft, der Kraftweg ist länger.
Pinzette:

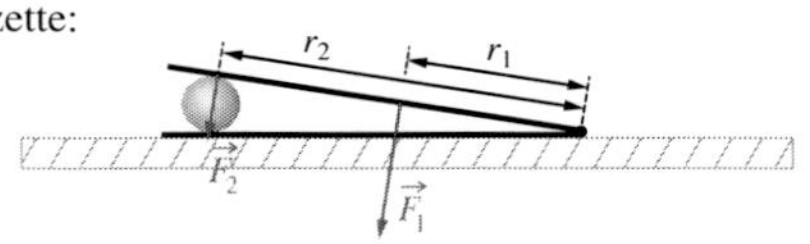

Die Kugel übt die Kraft $-\overrightarrow{F_2}$ auf den oberen Teil der Pinzette aus. Am oberen Teil der Pinzette – betrachtet als einseitiger Hebel – herrscht dann Drehmomentengleichgewicht.
Zange:

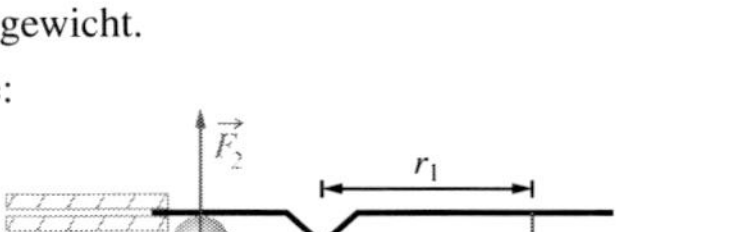

Die Kugel übt die Kraft $-\overrightarrow{F_2}$ auf den beweglichen Teil der Zange aus. Am beweglichen Teil der Zange herrscht dann Drehmomentengleichgewicht.

A 2: Beim Schneidevorgang bewegt sich die Schnittstelle von der Drehachse fort, der Kraftarm auf der Kartonseite wird dadurch größer – der Kraftarm der Finger wird im Verhältnis dazu kleiner, also müssen die Finger eine immer größer werdende Kraft aufbringen.

A 3: Zum Zerbrechen eines Streichholzes ist ein bestimmtes Drehmoment erforderlich. Zu Anfang ist der Kraftarm verhältnismäßig groß – zum Zerbrechen genügt eine relativ kleine Kraft. Dann wird der Kraftarm kürzer – die Finger müssen nun eine immer größer werdende Kraft aufbringen.

A 4: Aus der Tatsache, dass auf beiden Seiten gleich viele Gewichte hängen, auf den Gleichgewichtszustand zu schließen, wäre möglich, falls die Kraftarme gleich groß wären. Dies ist jedoch nicht der Fall. Auf der rechten Seite führt erst die Summe der Drehmomente aus Einzelkräften mit bestimmten, unterschiedlichen Kraftarmen zum Momentenausgleich – und der ist ohne Berücksichtigung der Kraftarme nicht selbstverständlich. Anna hat also Recht.

A 5: *Abschätzung:* Die Länge des Kraftarms der Muskelkraft, also der Abstand ihrer Wirkungslinie von der Drehachse, steht zur Länge des Kraftarms der Federkraft im Verhältnis von etwa 1 : 9.
Folgerung: Also ist die Kraft des Beugemuskels 9-mal so groß wie die Kraft der Hand. Die kleinere Kraft der Hand soll einen großen Weg ausführen, und das wird mit einer relativ kleinen Verkürzung des Muskels ermöglicht.

A 6: Das Drehmoment am Schraubenschlüssel beträgt $M_1 = 5{,}4$ Nm. Für die Drehmomente an der Flügelmutter gilt $M_2 + M_3 = M_1$. Wegen $M_2 = M_3 = 0{,}5 \cdot 5{,}4$ Nm $= 2{,}7$ Nm folgt (mit $r_1 = r_2 = 0{,}03$ m):
$F_2 = F_3 = 90$ N.

A 7: Sicheres Lenken erfordert, dass die Armmuskeln ein großes Drehmoment bewirken können; der verfügbare Kraftarm – der Lenkradradius – sollte daher genutzt werden. Ein Zugriff am Mittelteil verkürzt den Kraftarm. Fahrschulen empfehlen: Zugriffe der Hände stets rechts und links außen! So kommen die Beugemuskeln am besten zur Wirkung.

Seite 123

A 1: Feste Rolle: $F = 400$ N;
Lose Rolle: $F = 2 \cdot 400$ N $= 800$ N;
Flaschenzug (4 tragende Seilabschnitte):
$F = 4 \cdot 400$ N $= 1600$ N.
Mit Hilfsmitten kann Kathrin ihre Kraft verdoppeln oder sogar vervierfachen.

A 2: $F_Z = 0{,}5 \cdot (G_{\text{Inhalt}} + G_{\text{Rolle}} + G_{\text{leere Kiste}}) = 270$ N.
Daraus ergibt sich:
$G_{\text{Inhalt}} = 2 \cdot 270$ N $- 130$ N $= 410$ N.

Seite 126

A 1: Lang: Länge (l in m);
schnell: Geschwindigkeit (v in m/s);
alt: Zeit (t in Jahr oder in s);
schön: *keine physikalische Eigenschaft;*
geräumig: Volumen (V in m^3);
schwer: Masse (m in kg) – Bemerkung: Je größer die Masse ist, desto größer ist am selben Ort die Gewichtskraft (G in N);
teuer: *keine physikalische Eigenschaft*, obwohl wie bei physikalischen Größen Zahlenwert und Einheit (Währungseinheit) benutzt werden;
silbergrau: *keine physikalische Eigenschaft*
schnittig: *keine physikalische Eigenschaft* (schnittig steht nach Duden auch für „rassig")

A 2: Wegen der halbierten Geschwindigkeit ist auf der ersten Hälfte des Weges nicht die Hälfte der geplanten Zeit vergangen, sondern das Doppelte davon, also bereits die gesamte geplante Zeit. Mit keiner noch so großen Geschwindigkeit ist dann pünktliches Ankommen möglich.

A 3: a) Sofie wohnt 0,8 km von Antonia entfernt, Lotta 2,0 km. Die Entfernung des Hauses von Sofie und Lotta beträgt 1,2 km.

b) Geschwindigkeiten von Sofie:
- von 14 Uhr bis 15 Uhr 10 min: 0 m/s = 0 km/h.
- von 15 Uhr 10 min bis 15 Uhr 35 min:
  Sofie legt in $t = 25$ min = 1500 s die Strecke $s = 1{,}2$ km = 1200 m mit konstanter Geschwindigkeit zurück.
  Es ist
  $v = s/t = 1200\ \text{m}/1500\ \text{s} = 0{,}8\ \text{m/s} = 0{,}8 \cdot 3{,}6\ \text{km/h}$
  $= 2{,}8\ \text{km/h}$.
- von 15 Uhr 35 min bis 17 Uhr 2,5 min:
  0 m/s = 0 km/h.
- von 17 Uhr 2,5 min bis 17 Uhr 10 min:
  Sofie legt in $t = 7{,}5$ min = 450 s die Strecke 1200 m mit konstanter Geschwindigkeit zurück.
  Es ist:
  $v = s/t = 1200\ \text{m}/450\ \text{s} = 2{,}67\ \text{m/s} = 9{,}6\ \text{km/h}$.
- von 17 Uhr 10 min bis 17 Uhr 20 min:
  0 m/s = 0 km/s.

c) Um 14 Uhr sind die Mädchen alle zu Hause. Da ruft Sofie Antonia an, ob sie nicht zum Spielen kommen möchte. Antonia sagt zu, fährt mit dem Fahrrad los und kommt um 14 Uhr 25 min bei Sofie an. Sie hören zunächst gemeinsam eine CD, wissen aber dann nicht so recht, was sie tun sollen. Da kommt Antonia auf die Idee, Lotta anzurufen, ob sie nicht auch zum Basteln kommen wolle. Sie sagt sofort zu und fährt mit dem Fahrrad zu Sofie, wo sie um 14 Uhr 55 min eintrifft. Um 15 Uhr 10 min merken sie, dass sie eigentlich keine Lust zum vereinbarten Basteln haben. Lotta schlägt deshalb angesichts des guten Wetters vor, zu ihr zu gehen. In ihrem Garten ist ein Trampolin aufgestellt, auf dem alle drei gleichzeitig hüpfen könnten. Gesagt, getan. Mit dem Fahrrad fahren sie gemeinsam zu Lotta, hüpfen dort ab 15 Uhr 35 min auf dem Trampolin, spielen Ball und quatschen bis um 16 Uhr 15 min. Antonia meint dann, sie müsse unbedingt um 17 Uhr zu Hause sein und macht sich deshalb auf den Heimweg, trifft aber gegen 16 Uhr 30 min noch Eva, die sie aus dem Orchester kennt. Fast 15 Minuten reden die beiden miteinander, bevor Antonia rasch nach Hause fährt, wo sie genau um 17 Uhr ankommt. Sofie bleibt dagegen noch bei Lotta und sieht mit ihr einen Film an. Darüber vergessen die beiden fast die Zeit, denn auch Sofie musste um 17 Uhr zu Hause sein. Um 17 Uhr 2,5 min fährt sie deshalb zügig mit dem Fahrrad los, rast mit der doppelten Geschwindigkeit wie bei der Herfahrt nach Hause und kommt um 17 Uhr 10 min dort an.

A 4: a) Die Bewegung ist nicht gleichförmig. Die Punkte liegen nicht auf einer Geraden.
Die Punkte verbindet man möglichst „knickfrei", da die Geschwindigkeit sich nicht schlagartig ändert.

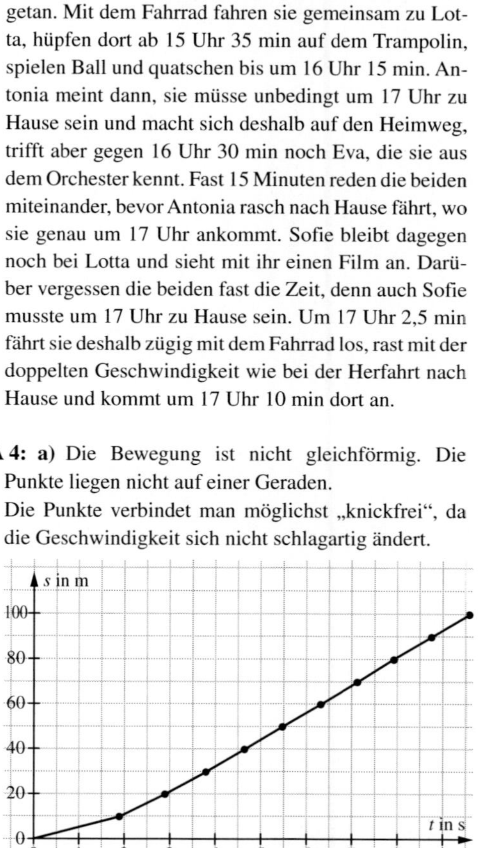

b) Zwischen zwei Punkten kann man aber näherungsweise von einer gleichförmigen Bewegung ausgehen.

s in m	10	20	30	40	50
v in m/s	5,29	10,00	11,11	11,76	12,05

s in m	60	70	80	90	100
v in m/s	11,90	12,35	12,50	12,05	12,05

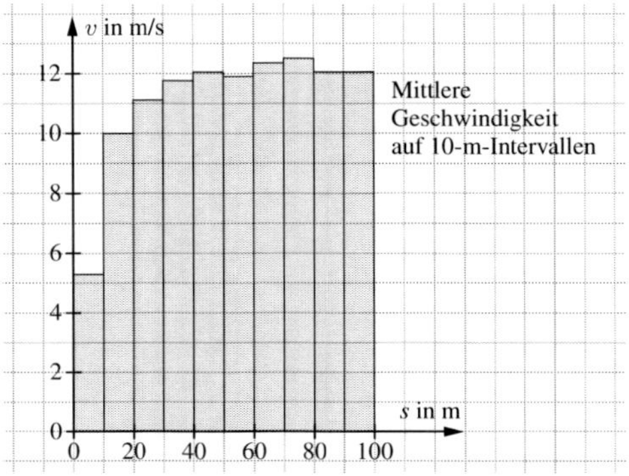

c) Auf den ersten 10 m ist die mittlere Geschwindigkeit am kleinsten aufgrund des Starts, dann steigert sich die Geschwindigkeit (bis auf einen kleinen Einbruch zwischen 50 m und 60 m) bis zur maximalen Geschwindigkeit zwischen 70 m und 80 m. Danach nimmt die Geschwindigkeit wieder ab.

d) —

A 5: 1 Knoten = 1 kn = 1852 m/h = 1852 m/3600 s; also 1 kn = 0,514 m/s; 1 m/s = 1,94 kn.

Seite 127

A 6: An jedem Kasten, den Linus hält, herrscht Kräftegleichgewicht, da sie in Ruhe sind. Die Kraft der Hand von Linus greift am Kasten nach oben an und hält der Gewichtskraft des Kasten, die nach unten gerichtet ist, das Gleichgewicht. Wenn Linus nun behauptet, die beiden Kästen sind „gleich schwer", hat er das Gefühl, den Trompetenkasten und den Geigenkasten mit derselben Kraft zu halten. Die Gewichtskräfte, die die Kästen von der Erde erfahren, sind seinem Gefühl nach also ebenfalls gleich groß. Ob dies exakt der Fall ist, müsste man mit einer Messung mit einem Federkraftmesser nachweisen.
Die Aussage „Die beiden Kästen sind gleich schwer" ist irreführend. Linus meint, beide Kästen werden mit derselben Gewichtskraft von der Erde angezogen. Für sich allein haben die Körper keine Gewichtskraft. Was die Körper haben, ist Masse. Da die beiden Kästen an demselben Ort von der Erde mit derselben Gewichtskraft angezogen werden, haben sie dieselbe Masse.

A 7: **a)** *Idee für Experimentplanung:* Durch Bestimmen der Dichte der Münzen kann man ermitteln, ob beide Münzen aus gleichem Material bestehen.
Versuch: Massenmessung mit Waage, Volumenbestimmung z. B. mit Überlaufmethode (wegen der Messgenauigkeit das Volumen von z. B. 10 Münzen ermitteln).
Man erhält fast dieselben Dichtewerte. Im Rahmen der Messgenauigkeit sind sie gleich. Die Münzen bestehen also aus demselben Material.
b) Messergebnisse mit Schulmitteln (jeweils 10 gleiche Münzen genommen):
10-Cent-Münze: $m = 4{,}1$ g (exakt: 4,10 g);
$V \approx 0{,}59\ \text{cm}^3$, also $\varrho \approx 6{,}95\ \text{g/cm}^3$.
20-Cent-Münze: $m = 5{,}7$ g (exakt: 5,74 g);
$V \approx 0{,}83\ \text{cm}^3$, also $\varrho \approx 6{,}87\ \text{g/cm}^3$.
c) Internet-Recherche ergibt (z. B.: http://de.wikipedia.org/wiki/Euromünzen)

	10 Cent (0,10 €)	20 Cent (0,20 €)
Durchmesser	19,75 mm	22,25 mm
Dicke	1,93 mm	2,14 mm
Masse	4,10 g	5,74 g
Rändelung	grobe Riffelung (40 Riffel)	spanische Blume (glatt mit 7 Einkerbungen)
Material	Nordisches Gold (89 % Cu, 5 % Al, 5 % Zn, 1 % Sn)	
Ferromagnetisch	nein	nein

A 8: **a)** Messung rohes Ei:
Masse: $m_{\text{Ei}} = 61$ g; $V = 58{,}5\ \text{cm}^3$ (mit Überlaufmethode); also ist die Dichte: $\varrho \approx 1{,}04\ \text{g/cm}^3 > \varrho_{\text{Wasser}}$.
Das Ei geht in Wasser unter.
Überlegungen zum gekochten Ei:
Wenn das Ei nicht angestochen wird, ändert sich seine Dichte nicht, selbst wenn im Inneren beim Kochen chemische Reaktionen stattfinden. Ein gekochtes Ei sinkt in Wasser weiterhin ab.
b) Nach dem Wert der Dichte müsste das Ei überwiegend aus Wasser bestehen (stimmt auch, ca. 75 % Wasseranteil).
Hinweis: Haben Schüler eine Ei-Dichte $\varrho_{\text{Ei}} < 1\ \text{g/cm}^3$ bestimmt, so ist anschließend eine Diskussion sinnvoll, ob das Ei untergegangen ist.

A 9: $m = \varrho \cdot V$
$= (0{,}2\ \text{g/cm}^3) \cdot (30\ \text{cm} \cdot 20 \cdot 10\,000\ \text{cm}^2)$
$= 1\,200\,000\ \text{g} = 1200\ \text{kg} = 1{,}2\ \text{t}$;
$G = (9{,}8\ \text{N/kg}) \cdot 1200\ \text{kg} = 11\,760\ \text{N} \approx 11{,}8\ \text{kN}$.
Mit 1200 kg ist die Masse der Schneeschicht nicht klein. Sie ist so groß wie die Masse eines Kleinwagens. Hat man also das Terrassendach nicht stabil genug gebaut, könnte es unter der Schneelast zusammenbrechen.

A 10: a) Die Kugel wird in A durch eine Kraft $\vec{F}_1$ in Bewegung gesetzt und erhält einen Impuls $\vec{p}_A$. Diesen Impuls behielte die Kugel bei, würde sie nicht durch die konstante Reibungskraft $\vec{F}_R$ zwischen Kugel und Tisch, die der Bewegungsrichtung der Kugel entgegengesetzt gerichtet ist, abgebremst. Der Impuls der Kugel behält deshalb zwar bis C seine Richtung bei, wird aber betragsmäßig immer kleiner ($\vec{p}_B, \vec{p}_C$).

b)

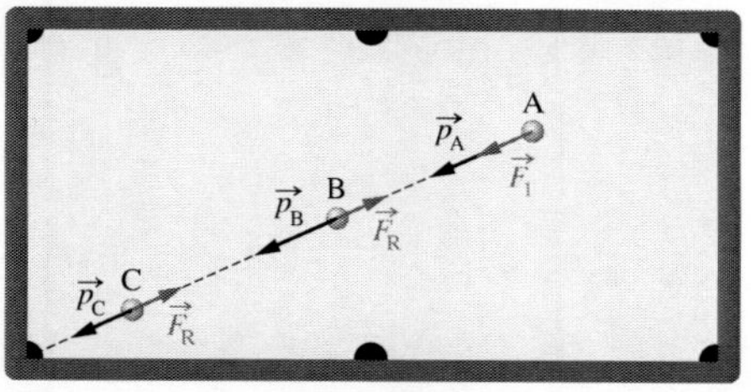

A 11: a) Gleitet eine Kugel fast reibungsfrei zum Beispiel über eine glatte, ebene Eisfläche, so wird die Gewichtskraft der Kugel, die sie von der Erde erfährt, durch die Kraft der Eisfläche auf die Kugel ausgeglichen. An der Kugel herrscht Kräftegleichgewicht (bis auf die minimale Reibungskraft). Die Kugel behält ihre Geschwindigkeit und ihren Impuls nach Betrag und Richtung bei. Könnte man die minimale Reibungskraft ganz ausschalten, käme die Kugel auf der Eisfläche nie zur Ruhe.

b) Bremst ein Auto plötzlich ab, so behält ein Insasse seinen Impuls nach Betrag und Richtung bei. Er bewegt sich mit gleicher Geschwindigkeit weiter und knallt im schlimmsten Fall gegen die Frontscheibe. Der gespannte Sicherheitsgurt verhindert dies, indem er auf den Insassen eine Kraft in entgegengesetzter Richtung zur Bewegungsrichtung des Fahrzeugs ausübt. Im Optimalfall bremst der Sicherheitsgurt den Insassen ab, ohne dass er Schaden nimmt.

A 12: a) Bei der ersten skizzierten Lösung (127.A12 oben) muss Hans mit der halben Kraft gegenüber der zweiten skizzierten Lösung (127.A12 unten) ziehen. Man entscheidet sich also für die erste Lösung.

b) Die Rollen kann man auch mit 2 Haken ausstatten. Bei der ersten skizzierten Lösung muss Hans dann $\frac{1}{3}F$ aufbringen, bei der zweiten nur $\frac{1}{4}F$.

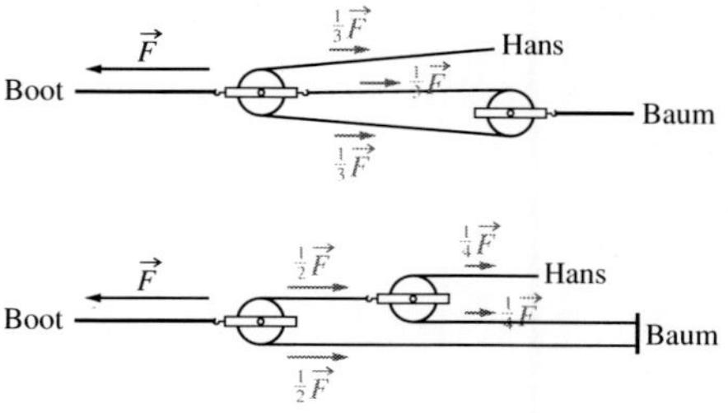

Bei der zweiten Lösung haben sogar beide Rollen nur einen Haken.

ENERGIE

Seite 133

A 1: Energie aus den Muskeln wird auf den Tennisschläger übertragen, er bekommt Bewegungsenergie. Beim „Zusammenstoß“ mit dem Ball wird der Schläger langsamer, seine Saiten und der Ball werden verformt. Bewegungsenergie wird zu Spannenergie. Die Spannenergie wird dann auf den Ball übertragen, er wird beschleunigt, bekommt Bewegungsenergie.

A 2: Beim Anlauf bekommen Sportlerin (und der Stab) Bewegungsenergie. Nachdem das Ende des Stabs am Sprungkasten „eingehakt“ ist, wird die Sportlerin langsamer und der Stab wird gebogen. Ein Teil der Bewegungsenergie der Sportlerin wird zu Spannenergie des Stabes. Den Rest der Bewegungsenergie und die Spannenergie nutzt die Sportlerin, um daraus zunächst weitere Bewegungsenergie (Bewegung nach oben) und dann Höhenenergie zu gewinnen. Am höchsten Punkt angekommen liegt die gesamte Energie als Höhenenergie vor.

A 3: Wenn der Ball an der Zimmerdecke ankommt, ist die beim Abwurf mitgegebene Bewegungsenergie vollständig zu Höhenenergie geworden (Höhengewinn von der Hand aus gemessen). Wenn der Ball fast bis zum Fußboden gefallen ist: Die gesamte Bewegungsenergie stammt aus der Höhenenergie (Höhe jetzt negativ, Höhenänderung größer als im ersten Teil der Bewegung. Deshalb ist vor dem Aufschlag auf den Boden die Bewegungsenergie größer als nach dem Abwurf aus der Hand).

A 4: Du bremst gerade so viel, dass die Geschwindigkeit sich nicht ändert, deine Bewegungsenergie also konstant bleibt. Allein die Energiemenge, um die die Höhenenergie abnimmt, wird an den Bremsen zu innerer Energie. Die Temperatur der Bremsen steigt.

Seite 135

A 1: 600 t = 600 000 kg;
F_s = 600 000 kg · 9,81 N/kg = 5 886 000 N.
$W = F_s \cdot s$ = 5 886 000 N · 15 m ≈ 90 Millionen Joule.

A 2: F = 5 kg · 9,81 N/kg = 49 N; das Herz liefert also in jeder Minute W = 49 N · 1 m = 49 J, in jeder Stunde 2940 J, an einem Tag 70 560 J.

49 J/min

1d = 24h = 24 · 60 min = 1,44 · 10^3 min = 8,64 · 10^4 s
P = 49 J/min ≈ 0,82 J/s = 0,817 W

Seite 137

A 1: $F_s = F_0 + F_R = \frac{1}{4} \cdot 1000\ \text{N} + 750\ \text{N} = 1000\ \text{N}$.
$F_s \cdot s = 1000\ \text{N} \cdot (4 \cdot 2)\ \text{m} = 8000\ \text{J}$,
$G \cdot h = 1000\ \text{N} \cdot 2\ \text{m} = 2000\ \text{J}$.

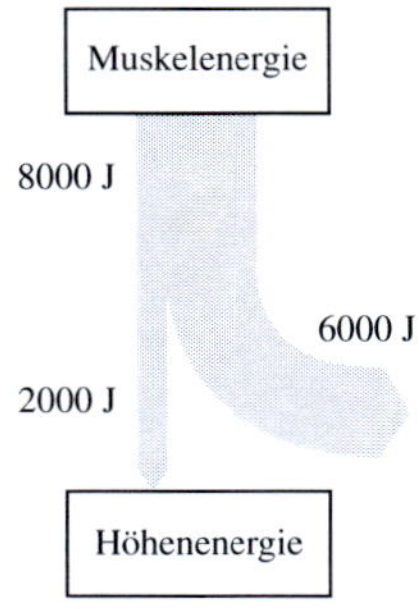

A 2: Wenn man den Flummi aus der Hand loslässt, verliert er Höhe, Höhenenergie wird zu Bewegungsenergie. Am Fußboden ist seine Bewegungsenergie maximal; sie wird vollständig zu Spannenergie des verformten Flummis.
Jetzt bekommt der Flummi die Energie wieder zurück – als Bewegungsenergie. So kann er wieder Höhe gewinnen, mit Zunahme der Höhenenergie und Abnahme der Bewegungsenergie.
Weil es Reibung gibt, steigt der Flummi von Mal zu Mal weniger hoch. Energie wird an die Umgebung abgegeben und dadurch entwertet. Das Video im Rückwärtsgang würde einen Flummi zeigen, der zunächst ruhig auf dem Boden liegt und unerwartet zu hüpfen beginnt; von Mal zu Mal höher, bis er schließlich die Hand erreicht. – Es hat noch nie jemand beobachtet, dass Energie aus der Umgebung von alleine zu Bewegungs- und Höhenenergie wird.

Seite 139

A 1: $P = W/t$ = 3 600 000 J/3600 s = 1000 J/s = 1000 W
Oder: P = 1 kWh/1 h = 1 kWh/h = 1 kW = 1000 W.

A 2: $P = W/t$ = (1600 kg · 9,81 N/kg · 75 m)/60 s ≈ 19 620 J/s = 19,62 kW.

A 3: Aus den Angaben kann man ermitteln, wie viele Stunden mindestens im Jahr die Sonne geschienen haben muss:
$P = W/t \Rightarrow t = W/P$ = 850 kWh/1 kW = 850 h.

Man darf daraus nicht schließen, dass die Sonne am Ort der Solaranlage genau 850 Stunden lang geschienen hat. Ein typischer Wert für die Sonnenstunden im Jahr ist 1500 Stunden. $P = 1$ kW ist die Spitzenleistung, sie wird nicht immer erreicht, wenn die Sonne scheint.

A 4: Mit der Gleichung $W = P \cdot t$ erhalten wir:
$W = (700\ \text{J/s}) \cdot 90\ \text{s} = 63\,000\ \text{J}$; bzw.
$W = 0{,}7\ \text{kW} \cdot 0{,}025\ \text{h} = 0{,}0175\ \text{kWh}$.

Seite 144

A 1: *Hinweis:* Geeignete Aluminiumblechstreifen erhält man in Baumärkten in Längen von 1 m oder 2 m.

Seite 145

A 2: Der Lichtblitz liefert in der Zeit $t = 1{,}2\ \mu\text{s}$ die Energie $W = 120$ mJ. Die (mittlere) Leistung eines einzelnen Lichtblitzes beträgt
$P = W/t = 0{,}120\ \text{J}/0{,}0000012\ \text{s} = 100\,000$ Watt.
10 Blitze pro Sekunde liefern $W = 1{,}2$ J in $t = 1$ s. Damit beträgt die mittlere Leistung
$P = 1{,}2\ \text{J}/1\ \text{s} = 1{,}2$ Watt.

Seite 147

A 1: Auf dem Berg hat der Mountainbiker Höhenenergie. Wenn er bei der Bergabfahrt Höhe verliert, nimmt die Höhenenergie ab. Wenn er nicht bremst, wird sie in Bewegungsenergie gewandelt. Er wird schneller. Wenn er so bremst, dass die Geschwindigkeit nicht zunimmt, dann wird die Höhenenergie durch Reibung an den Bremsscheiben in innere Energie gewandelt. Die Temperatur der Bremsscheiben nimmt zu.

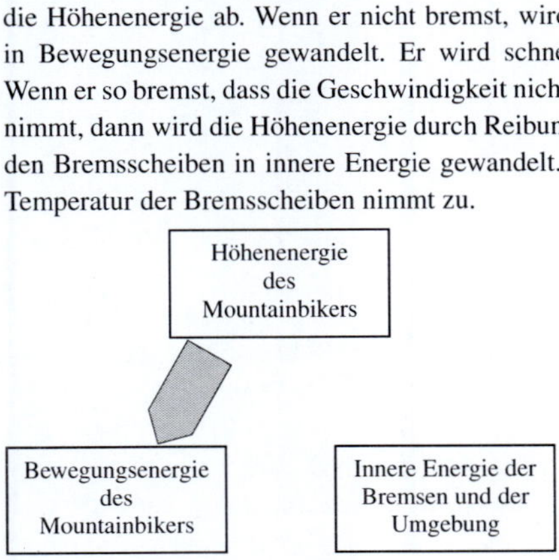

Ungebremst bergab

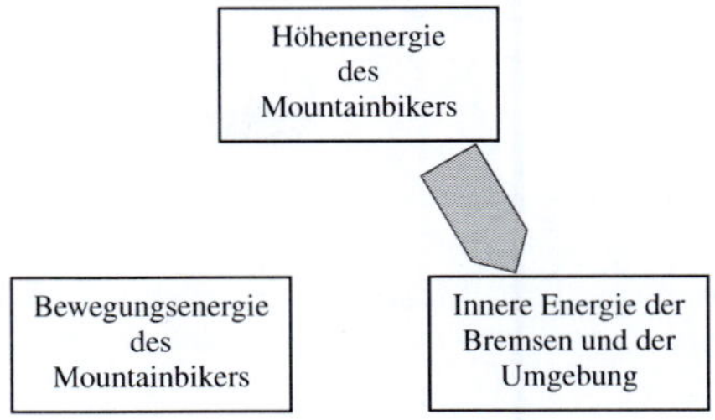

Gleichförmig bergab

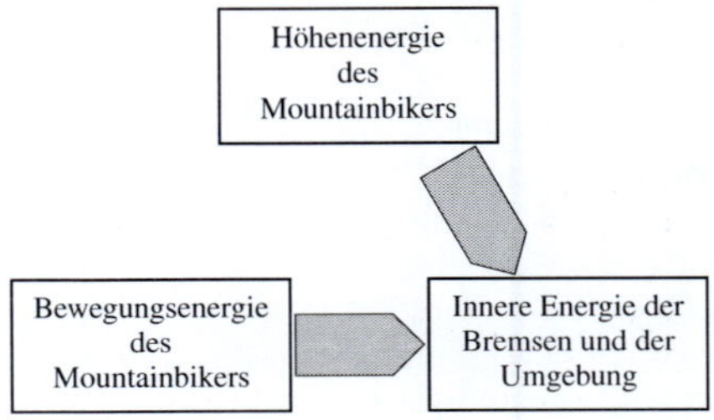

Anhalten

A 2: Vier Stockwerke bedeutet ungefähr 10 m Höhengewinn. Für eine Masse von 55 kg gilt:
$W = G \cdot h = 55\ \text{kg} \cdot 9{,}81\ \text{N/kg} \cdot 10\ \text{m} = 5395{,}5\ \text{J}$.

A 3: Mit $m = 55$ kg und $g = 9{,}81$ N/kg:
$W = G \cdot h = 55\ \text{kg} \cdot 9{,}81\ \text{N/kg} \cdot 448\ \text{m} \approx 241\,718\ \text{J}$.
$P = W/t = 241\,718\ \text{J}/600\ \text{s} \approx 403\ \text{W}$.
Im Internet findet man für Radprofis als „gewichtsbezogene Leistung“: 6 bis 7 W/kg (für Hobbyfahrer: die Hälfte). Das ergibt für den 55-kg-Sportler 330 W bis 385 W. 10 Minuten lang mögen höhere Leistungen möglich sein.

A 4: Der umgekehrte Ablauf des Daumenkinos zeigt das Kind, wie es von allein anfängt zu schaukeln. Dieser Vorgang ist nicht natürlich, wenn das Kind die Beine nicht entsprechend bewegt. Das Kind kann mit der Schaukel nur in Bewegung kommen, wenn ihm Energie übertragen wird. Wo soll die herkommen? Aus der inneren Energie der Umgebung? Noch nie hat jemand beobachtet, dass ein Körper sich in Bewegung setzt und seine Umgebung kälter wird.

A 5: Wesentlich ist, dass während des Aufstiegs der durch Reibung entstandene Energieverlust durch Zufuhr von Arbeit ($W = F \cdot s$) ausgeglichen wird.

A 6: $W_{\text{Luft}} = F \cdot s = 1200\ \text{N} \cdot 100\,000\ \text{m} = 120\,000\ \text{kJ}$.
Man könnte weiter rechnen: In 1 h = 3600 s werden 120 000 kJ gewandelt: $P = 33$ kW.

A 7: Unter dem Suchwort „Mausfallenauto“ findet man im Internet Bauanleitungen. „Ein ideales Mausefallenauto fährt mit einer Federspannung“, also mit einer bestimmten Energiemenge unendlich weit, bedeutet nur, dass am Auto selbst durch fehlende Reibung keine Energie in innere Energie gewandelt wird. Es gibt aber während der Fahrt noch Reibung zwischen Rad und Boden und zwischen Auto und Luft. Der Satz ist also nicht richtig.

A 8: Höhenenergie wird während der Fallbewegung in Bewegungsenergie gewandelt und beim Auftreffen am Boden zur Verformung genutzt. Man spürt die Kraft, mit der die Verformung stattfindet: Kurz und heftig, wenn die Beide gestreckt bleiben, länger und weniger heftig, wenn der „Bremsweg s“ durch „Abfedern“ in den Knien verlängert wird.
Die zu wandelnde Energiemenge hängt von der Tischhöhe und dem Körpergewicht ab: $W = G \cdot h$. Sie wird beim „Abfedern“ als Arbeit übertragen:
$W = G \cdot h = F \cdot s$. Je größer s, desto kleiner F!

A 9: Eine vereinfachte Energie-Übertragungskette ist unten abgebildet.
Genau genommen wird das Seil aber schon gespannt, während der Springer noch Höhe (nicht nur Geschwindigkeit) verliert und wenn das Seil Energie abgibt, wächst nicht nur die Geschwindigkeit (nach oben) sondern auch die Höhe.

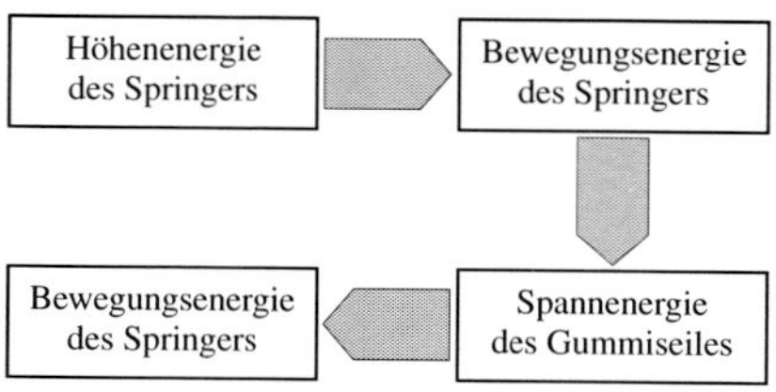

A 10: $W_{el} = P \cdot t = 5000\ \text{W} \cdot 60\ \text{s} = 300\,000\ \text{J} = 300\ \text{kJ}$,
$W_{hub} = G \cdot h = 2500\ \text{kg} \cdot 9{,}81\ \text{N/kg} \cdot 8{,}2\ \text{m} \approx 201\ \text{kJ}$.
Etwa zwei Drittel der aufgewendeten elektrischen Energie werden in Höhenenergie gewandelt.

A 11: a) Die Bewegungsenergie des Zuges wird vollständig in innere Energie der Bremsvorrichtung gewandelt. Der Impuls des Zuges wird übertragen auf die gesamte Erde (mitsamt Zug), wegen $p = m \cdot v$ und der sehr großen Masse der Erde ist die Geschwindigkeit praktisch null. Während des Aufpralls und des Bremsvorgangs wirkt der Zug mit einer Kraft auf den Prellbock und seine Unterkonstruktion (also auf die Erde), Die Erde wirkt mit entgegengesetzt gleich großer Kraft auf den Zug und bremst ihn ab.

b) Bewegungsenergie für z. B.
$v = 15\ \text{km/h} = 15/3{,}6\ \text{m/s}$ und m = 600 t:
$W_{bew} = \frac{1}{2} \cdot m \cdot v^2 = 0{,}5 \cdot 600\,000\ \text{kg} \cdot (4{,}2\ \text{m/s})^2$
$\approx 5208\ \text{kJ}$.
Der Tabellenwert 5292 kJ ist etwa 1,6 % zu groß, wie auch alle anderen Tabellenwerte.

c) Für den 950-Tonnen-Zug gilt bei 15 km/h:
$W_{bew} = \frac{1}{2} \cdot m \cdot v^2 = 0{,}5 \cdot 900\,000\ \text{kg} \cdot (4{,}2\ \text{m/s})^2$
$\approx 8247\ \text{kJ}$.
Die Bewegungsenergie wird als Arbeit längs des Bremsweges $s = 9{,}8\ \text{m}$ abgegeben: $W = F \cdot s$, also $F = W/s = 8247\ \text{kJ}/9{,}8\ \text{m} \approx 841\ \text{kN}$. Dies sind etwa 9 % der auf den Zug einwirkenden Gewichtskraft:
$G = m \cdot g = 950\,000\ \text{kg} \cdot 9{,}81\ \text{N/kg} \approx 9320\ \text{kN}$.

Seite 148

A 1:

Unterschied zu Schwingungsbild 1	**Wahrnehmung (Hören)**	**Physikalische Beschreibung**
a) Schwingungsbild 2	Ton höher (mehr Schwingungen pro Sekunde)	Frequenz höher, Periodendauer kleiner
b) Schwingungsbild 3	Ton leiser (kleinere „Ausschläge“ des Schwingers)	Amplitude kleiner
c) Schwingungsbild 4	Ton wird leiser (Tonhöhe wie bei 1)	Amplitude wird kleiner (Periodendauer wie bei 1)

A 2: Die Sonne ist sehr weit von der Erde entfernt ($150 \cdot 10^6$ km), also ist die Gegenstandsweite g sehr groß. Nach der Linsengleichung ist damit die Bildweite b ungefähr so groß wie die Brennweite f. Bei der Linse gilt die Abbildungsgleichung:
$G/B = g/b \approx g/f$.
Mit $g \approx 150 \cdot 10^6$ km und $B = 1\ \text{cm} = 0{,}01\ \text{m}$ folgt, Durchmesser Sonne:
$G \approx 150 \cdot 10^6\ \text{km} \cdot (0{,}01\ \text{m}/1\ \text{m}) = 1{,}5 \cdot 10^6\ \text{km}$.
(Exakter Wert: $1{,}39 \cdot 10^6$ km. Abweichungen kommen u. a. daher, dass b etwas größer als f ist.)

A 3: *Pro:* Man sieht einen Körper nur, wenn Licht von ihm ins Auge fällt. Wenn ich eine andere Person sehen kann, kann sie auch mich sehen.
Kontra: Wir könnten dann auch nachts sehen. Es gibt Körper, die von sich aus Licht aussenden (Sonne) und nicht selbst leuchtende Körper (Mond). Bilder entstehen nicht in unserem Auge, sondern erst im Gehirn.

A 4:

Elektrische Glühlampe	Energiesparlampe
Hat einen Glühfaden mit sehr hoher Temperatur und sendet viel infrarotes Licht aus, das für das menschliche Auge nicht sichtbar ist (ist eine Art von Heizung; s. Buch S. 49)	Ist eine Leuchtstofflampe, hat niedrigere Temperatur und sendet weniger infrarotes Licht aus.

A 5: a)

g	*b*	*B*
9 cm	4,5 cm	1,0 cm
8 cm	4,8 cm	1,2 cm
6 cm	6,0 cm	2,0 cm
5 cm	7,5 cm	3,0 cm
4 cm	12,0 cm	6,0 cm

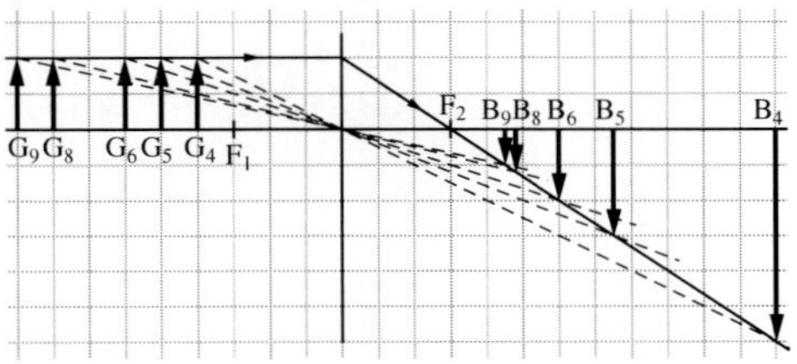

Anmerkung: Hinweise zum Vorgehen der Konstruktion im Buch S. 58.

b) Je kleiner (größer) die Bildweite *b* ist, desto kleiner (größer) ist die Bildgröße *B*.

Je kleiner die Gegenstandsweite *g* ist (aber $g > f$), desto größer ist die Bildweite *b* und desto größer ist die Bildgröße *B*.

c) Wenn der Pfeil 2 cm von der Sammellinse entfernt ist, gibt es kein reelles Bild mehr (Mittelpunktstrahl und Achsenparallelstrahl schneiden sich nicht mehr hinter der Linse).

A 6: Der Nahpunkt (die minimale Sehweite) ist i. a. für beide Augen nicht gleich. Der Entfernung des Nahpunkts nimmt mit steigendem Alter zu, weil die Elastizität der Augenlinse geringer wird.

Alter in Jahren	10	20	30	40	50	60
Nahpunkt in cm	7	9	12	22	40	100

Quellen z. B.
http://de.wikipedia.org/wiki/Akkommodation_(Auge)
http://www.becker-floege.de/beratung/gut-sehen/fehlsichtigkeit/alterssichtig/

A 7: Beim Erfinden einer Geschichte sind der Fantasie keine Grenzen gesetzt. Beispiel:

Ein Schüler geht mit normalem Tempo (Geschwindigkeit) zur Schule. Er trifft einen Mitschüler, bleibt dann stehen und plaudert mit ihm. Beide gehen dann langsam weiter. Plötzlich entdecken sie, dass sie am Treffpunkt (Ort) etwas vergessen haben. Schnell zurück, suchen. Dann ist die Zeit knapp für den Schulweg, deshalb gehen sie ein hohes Tempo bis zur Schule (mit großer Geschwindigkeit).

A 8: a) Die Anwohner stecken eine Strecke ab und stoppen, wie lange ein Fahrzeug für diese Strecke braucht (ist aber ungenau). Dabei muss die Strecke so lang sein, dass sie die Durchfahrzeit überhaupt messen können. Oder sie bitten die zuständige Behörde um Geschwindigkeitsmessung.

b) $t = s/v = 0{,}015\ \text{km}/(30\ \text{km/h}) = 0{,}00050\ \text{h} = 1{,}8\ \text{s}$.

Anmerkung: Diese Zeit könnte näherungsweise noch mit einer Handstoppuhr gestoppt werden.

A 9: a) Die Größe *s* auf der vertikalen Achse gibt den jeweiligen Ort an (nicht den zurückgelegten Weg!).

b) Abschnitt 1: Fahrzeug fährt mit konstanter Geschwindigkeit.

Abschnitt 2: Fahrzeug steht.

Abschnitt 3: Fahrzeug fährt mit konstanter Geschwindigkeit (aber kleiner als in Abschnitt 1).

Abschnitt 4: Fahrzeug fährt mit konstanter Geschwindigkeit schnell zum Startpunkt zurück.

c) Abschnitt 1: $v = s/t = 15\ \text{m}/1{,}0\ \text{s} = 15\ \text{m/s}$.

Abschnitt 2: $v = 0\ \text{m/s}$.

d)

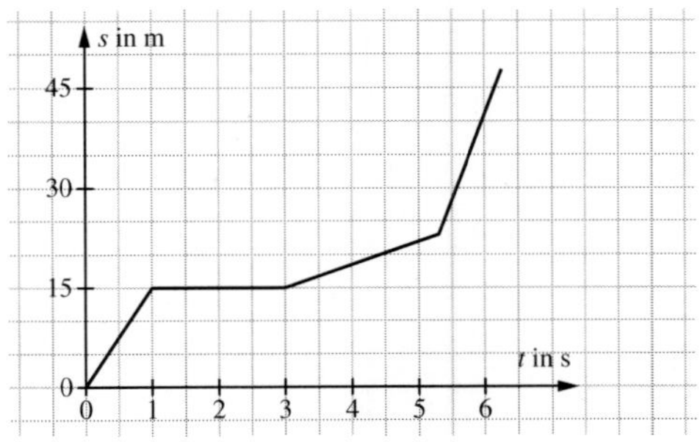

A 10: Man stellt sich auf eine Waage und bestimmt seine Masse. Man füllt eine (zylindrische) Tonne bis zum Rand mit Wasser (Versuch für den Sommer im Freien geeignet) und taucht dann vorsichtig ganz unter. Steigt man dann wieder aus der Tonne, so kann man aus der fehlenden Wasserhöhe in der Tonne das Volumen des übergelaufenen Wassers berechnen. Aus Masse und Volumen bestimmt man die mittlere Dichte.

Man kann die ermittelte mittlere Dichte mit den Dichtewerten von Stoffen in einer Tabelle vergleichen und schauen, ob mit einem dort angegebenen Wert eine gewisse Übereinstimmung besteht.

A 11: Die Dichte $\varrho = m/V$ kennzeichnet die Eigenschaft eines Stoffes. Sie ist ortsunabhängig.

Seite 149

A 12: a) Beispiel: Wie viel Masse auf ein bestimmtes Volumen kommt. Damit hängt auch die Anzahl der kleinen Teilchen in einem bestimmten Volumen zusammen.
b) Die Formulierung „die Dichte der Bäume" meint die Anzahl der Bäume auf einer bestimmten Fläche und ist insofern ein ähnlicher Begriff wie die physikalische Dichte. Die Formulierung „die Zuschauer standen dicht am Straßenrand" hat nichts mit dem physikalischen Begriff „Dichte" zu tun.

A 13: Trägheit von Körpern bedeutet:
- Ein Körper behält seine Geschwindigkeit bei (Betrag und Richtung), wenn auf ihn keine (resultierende) Kraft wirkt. Beispiel: Astronaut, der aus Satellit ausgestiegen ist. Koffer, der beim Bremsen eines Busses noch vorne fliegt.
- Die Geschwindigkeit eines Körpers wird geändert, wenn auf ihn eine (resultierende) Kraft wirkt. Beispiel: Pfeil, der mit einem Bogen abgeschossen wird.

Hinweis: Im Schulbuch (z. B. Seite 106/107) tauchen die Begriffe „Trägheit", „Trägheitssatz" nicht auf, weil der Begriff „Impuls" im Vordergrund steht.

A 14: Es wirkt eine Kraft auf das Raumschiff in den Bahnabschnitten, in denen die Bahn nicht geradlinig ist. Hier ändert sich der Impuls des Raumschiffs (Impulserhaltungssatz). In den geradlinigen Teilen des Bahnverlaufs sind die Geschwindigkeit und der Impuls konstant, wie die Zeitmarken zeigen.

A 15: Der Aufzug fährt nach oben. Beim Anfahren zeigt der Kraftmesser eine größere Kraft als im Stillstand an, weil nur durch eine Kraft der Impuls der Kugel erhöht werden kann (andere Argumentation: die Kugel bleibt auf Grund ihrer Trägheit etwas hinter dem Kraftmesser zurück, der dadurch zusätzlich gedehnt wird). Nach der gleichförmigen Fahrt nach oben zeigt der Kraftmesser beim Abbremsen eine kleinere Kraft an, weil der Impuls der Kugel durch einen Teil der Gewichtskraft bis auf null verkleinert werden muss (andere Argumentation: die Kugel bewegt sich auf Grund ihrer Trägheit noch weiter und entlastet dadurch den Kraftmesser, der dadurch eine kleinere Kraft anzeigt.).

A 16: Das Auto bewegt sich bezüglich der Abbildung nach rechts.
Bild links: Das Auto wird leicht abgebremst oder das Auto fährt mit konstanter Geschwindigkeit bergab.
Bild rechts: Das Auto wird stark beschleunigt oder das Auto kippt nach hinten über.

A 17: a) Da die Energie erhalten bleibt, gilt: Höhenenergie $W_H = 454{,}5$ kJ.
Angenommen ein Schüler habe eine Masse von 50 kg, so erreicht er die Höhe
$h = W_H/G = 454{,}5 \text{ kJ}/\ 490 \text{ N} \approx 927 \text{ m}$.
b) Die berechnete Höhe ist gegenüber der Realität deutlich zu groß, weil man beim Hochsteigen auch Energie benötigt, um z. B. seine Körpertemperatur aufrechtzuerhalten oder für Stoffwechselvorgänge.

A 18: a) Höhenenergie pro Kubikmeter Wasser:
$W_H = G \cdot h = 1000 \text{ kg} \cdot 9{,}8 \text{ N/kg} \cdot 5 \text{ m} = 49\,000 \text{ J}$.
Damit beträgt der Geldwert:
$49\,000 \text{ J}/(150\,000 \text{ J}/1 \text{ Cent}) \approx 0{,}3 \text{ Cent}$.
b) Benötigte Leistung: $P = 10 \cdot 18 \text{ W} = 180 \text{ W}$.
Für den einstündigen Betrieb der Lampen benötigte Energie:
$W = P \cdot t = 180 \text{ W} \cdot 3600 \text{ s} = 6{,}48 \cdot 10^5 \text{ J} = 0{,}18 \text{ kWh}$.
1 m^3 Wasser liefert die Energie $W_H = 49\,000$ J. Damit beträgt das benötigte Wasservolumen:
$6{,}48 \cdot 10^5 \text{ J}/(49\,000 \text{ J}/1 \text{ m}^3) \approx 13 \text{ m}^3$.

A 19: Zeit $t = W_H/P = (G \cdot h)/P$
$= (1000 \text{ N} \cdot 325 \text{ m})/60 \text{ W}$
$\approx 5417 \text{ s} \approx 90 \text{ min}$.

A 20: Mechanische Leistung bei konstanter Geschwindigkeit:
$P = W/t = (F_s \cdot s)/t = F_s \cdot (s/t) = F_s \cdot v$.

A 21: Mindmaps:

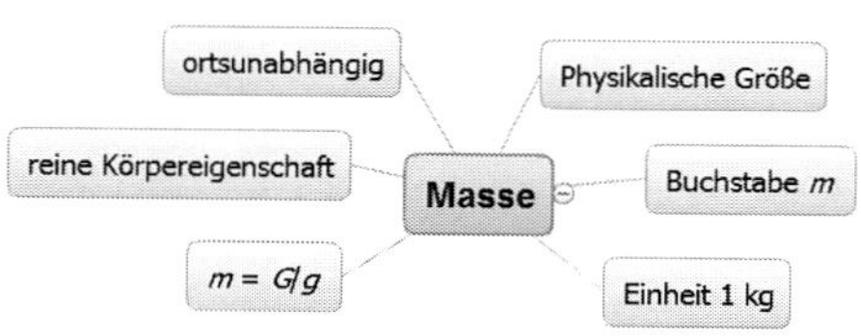

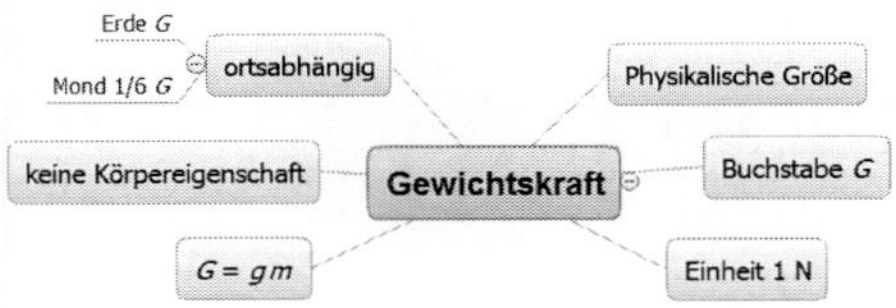

A 22: Beispielhafte Bedeutung von *Kraft* im Wörterbuch: „Für den Begriff Kraft war die Vorstellung des Anspannens der Muskeln bestimmend."
Beispielhafte Bedeutung von *Energie* im Wörterbuch: „Die Fähigkeit, Arbeit zu verrichten. Griechisch enérgeia: wirkende Kraft. Tatkraft." *Physikalisch* ist Energie = Tatkraft nicht richtig. Energie ist eine Erhaltungsgröße ohne Richtung (für ein geschlossenes System). Kraft ist eine gerichtete Größe, ist Ursache für Verformung und Impulsänderung.
Beispielhafte Bedeutung von *Leistung* im Wörterbuch: „Die Leistung steht für eine Arbeit pro Zeit." „Arbeitsleistung bezeichnet in der Ökonomie das Ergebnis einer zielgerichteten Anstrengung von Menschen in Verbindung mit dem Einsatz von Betriebsmitteln pro Zeiteinheit bei bestimmter Arbeitsqualität." „Leistung wird in der Psychologie als ein durch Energieaufwand geschaffener Wert bezeichnet, der durch den Einsatz der verfügbaren menschlichen Fähigkeiten zustande kommt, wobei ein Handlungsziel mit einem gewissen Niveau erreicht wird."

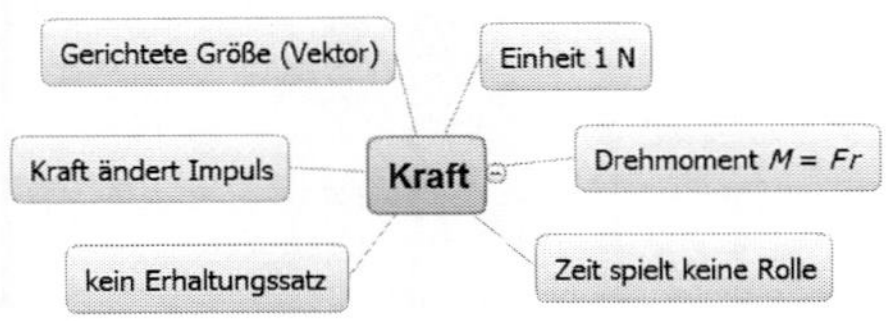

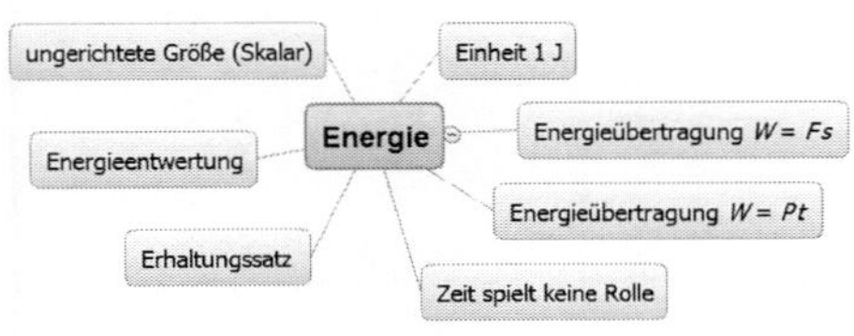

A 23: a) Beispielhafte Bedeutung von *Impuls* im Wörterbuch: „Äußerer oder innerer Antrieb, Anstoß." Der *physikalische* Begriff hat mit Antrieb nichts zu tun. Mit Antrieb ist eher die Kraft gemeint. Impuls beschreibt den Zustand eines Körpers (ein Körper hat z. B. Impuls). Den „Vorgang", mit dem ein Körper in diesen Zustand gebracht wurde, beschreibt man u. a. durch den Kraftbegriff: Kraft ändert den Impuls.
b) Wenn der Impulsvektor $\vec{p}$ seine Richtung beibehält, dann ist der Kraftvektor $\vec{F}$ gleich- oder entgegengerichtet (Seite 106). Wenn die Richtung des Impulsvektors $\vec{p}$ geändert wird, so ist der Kraftvektor $\vec{F}$ nicht in Richtung Impulspfeil gerichtet (Seite 106). Neben der Kraft ist die Zeitdauer der Krafteinwirkung für die Impulsänderung maßgebend. Gleiche Kraft länger einwirkend ergibt eine „größere" Impulsänderung.

A 24: Im geradlinigen Teil der Bahn haben die Zeitmarken gleiche Abstände. Der Impuls bleibt nach Betrag und Richtung erhalten ($F = 0$). Im nichtgeradlinigen Teil der Bahn wird der Impulsvektor geändert.
Kraft ist nur für die Änderung des Impulses zuständig. Ist $F = 0$, so bleibt der Impuls erhalten (Seite 106). Neben der Kraft ist für die Impulsänderung auch die Zeitdauer der Krafteinwirkung maßgeblich.

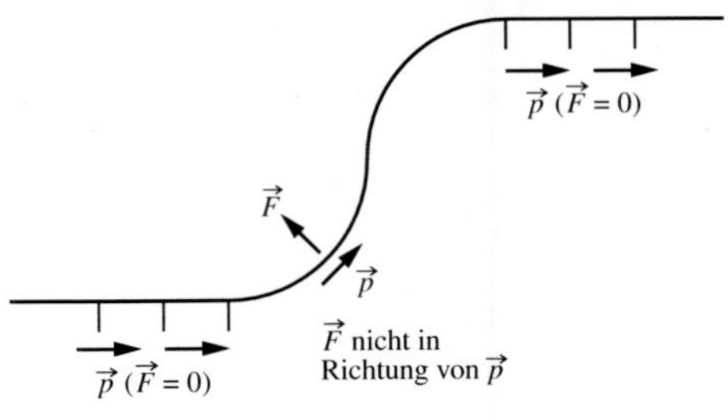

Teilchenmodell und Druck

Seite 155

A 1: *Bild 1a:* Man benötigt keinen Stempel, alle Kügelchen haben einen „festen" kaum veränderbaren Platz; bei genauem Hinsehen beobachten wir eine geringe Bewegung der einzelnen Kügelchen: *Festkörper.*
Bild 1b: Der Stempel bewegt sich etwas stärker, die Kügelchen bewegen sich und tauschen dabei die Plätze; es bleibt fast durchgängig eine glatte Oberfläche erhalten: *Flüssigkeit.*
Bild 1c: Der Stempel bewegt sich heftig und schleudert die Kügelchen durch den Raum; die Kügelchen stoßen gegeneinander, gegen die Wände und den Deckel: *Gas.*

A 2: Ein Modellgas aus zwei verschiedenen Gasen kann mit zwei verschiedenen Kügelchensorten (unterschiedliche Farbe bzw. Größe) realisiert werden.
Mögliche Beobachtungen: unterschiedliche Geschwindigkeiten der Molekülarten (Kügelchen); Schichtung: die schwereren Moleküle reichern sich unten an.

A 3: *Fest:* klare Struktur; feste Nachbarschaftsbezüge; kaum Bewegungen möglich;
flüssig: keine Struktur erkennbar, aber lockere Bezüge zu den Nachbarn; vielfältige Bewegungen möglich;
gasförmig: keine Struktur erkennbar; Nachbarn scheinen fast ohne Bedeutung zu sein; uneingeschränkte Bewegungsmöglichkeiten.

Seite 159

A 1: $F = p \cdot A = 300\,000\text{ Pa} \cdot 0{,}00014\text{ m}^2 = 42{,}0\text{ N}$.

A 2: $A = F/p = 10\,000\text{ N}/20\,000\,000\text{ Pa}$
$= 0{,}0005\text{ m}^2 = 5\text{ cm}^2$.

A 3: $F = p \cdot \text{A} = 17\,000\,000\text{ Pa} \cdot 0{,}0002\text{ m}^2$
$= 3400\text{ N} = 3{,}4\text{ kN}$.

A 4: $p = F/A = 300\text{ cN}/2\text{ cm}^2 = 150\text{ cN/cm}^2$
$= 15\,000\text{ Pa}$.

Seite 160

A 1: Die Trommelfelle wölben sich nach außen, da der Luftdruck mit zunehmender Höhe sinkt, der Druckausgleich im Innenohr über die eustachische Röhre aber nur langsam erfolgt.

Seite 163

A 1: Die Wasserstromstärke beider Brunnen zusammen beträgt 700 ℓ/s. Der Gesamtbedarf ist 680 ℓ/s. Die Versorgung ist möglich.

A 2: Wasserstromstärke:
$140\ \ell/20\text{ min} = 7\ \ell/\text{min} \approx 0{,}12\ \ell/\text{s}$.

Seite 164

A 1: Durch Aufblasen der Plastiktüte entsteht in der Tüte ein höherer Druck als außerhalb (Luftdruck). Dieser höhere Druck führt dazu, dass an der Grenzfläche – der Plastikhaut – Kräfte senkrecht nach außen wirken. Dadurch wird die Tüte gegen den äußeren Luftdruck aufgebläht. Saugt man die ganze Luft aus der Tüte heraus, so führt der größere äußere Luftdruck zu Kräften, die die Plastikhaut zusammendrücken.

A 2: Mit steigender Höhe über dem Erdboden sinkt der Luftdruck. Gleichzeitig verringert sich aber auch die Dichte der Luft in der Luftsäule. Grund: Luft ist im Gegensatz zu Wasser kompressibel. Das bedeutet, mit doppelter Höhe über dem Erdboden ist die Gewichtskraft der Luftsäule über der Grundfläche weniger als halb so groß. In 5,5 km Höhe ist der Luftdruck bereits auf die Hälfte seines Wertes auf NN gesunken, in 11 km Höhe auf ein Viertel.

A 3: **a)** Das Wasser strömt so lange in die anderen Röhren, bis kein Druckunterschied mehr vorhanden ist. Dies ist dann der Fall, wenn in den einzelnen Gefäßen das Wasser gleich hoch steht. Die einzelnen Flüssigkeitssäulen erzeugen dann an jeder Stelle des waagerechten Verbindungsrohres denselben Schweredruck.
b) Durch Wassertürme wird sichergestellt, dass das Wasser auch in höheren Häusern noch unter Druck aus der Wasserleitung kommt.

A 4: Die Luft strömt so lange vom Fahrradreifen in den Autoreifen, bis sich ein Druckgleichgewicht eingestellt hat. Dann fehlt der Antrieb für die Luftströmung.

A 5: Man muss die einzelnen Wasserstromstärken aufsummieren: Die gesamte Wasserstromstärke betrug:
$2\,100\,000\ \ell/\text{s} + 5\,600\,000\ \ell/\text{s} + 310\,000\ \ell/\text{s}$
$= 8\,010\,000\ \ell/\text{s}$.

A 6: Zur Beantwortung der Frage ist nur die „Autostromstärke“ wichtig. Die Geschwindigkeiten benötigt man nicht. Danach muss man auf der Ausfallstraße mit 20 + 15 + 10 = 45 Autos pro Minute rechnen.

Seite 165

A 1: a) „Vakuumverpackt“ bedeutet zumindest wenig Luft und damit sind praktisch Sauerstoff und Keime nicht mehr vorhanden. Es finden keine chemischen Reaktionen statt, womit ein Verderben der Lebensmittel verhindert wird.
b) Durch den äußeren Luftdruck wirkt eine Kraft auf die Kaffeeteilchen, die deshalb zusammengedrückt werden, wie im Bild unten gezeigt.
c) Der Slogan „vakuumverpackt“ stimmt nicht exakt. Eine kleine Luftmenge ist immer noch vorhanden. Unter einer Vakuumglocke zeigt sich durch das Aufblähen der Kaffee-Verpackung, dass noch Luft da ist. Der Druck innerhalb der Verpackung ist dann größer als außen. Auf jeden Quadratzentimeter wirkt somit eine resultierende Kraft nach außen, die Hülle bläht sich auf.

A 2: a) Zunächst ist der Druck innerhalb des Strohhalm genauso groß wie der Druck in der umgebenden Luft. Man erzeugt einen Unterdruck im Strohhalm, indem die Luftmenge im Halm verringert wird. Der äußere Luftdruck bleibt aber konstant und ist damit nun größer als der Druck im Halm. Der Druck an der unteren Öffnung des Halms ist damit vorübergehend kleiner als der Druck der Flüssigkeit neben der Öffnung. Dadurch entsteht eine Strömung in den Halm, bis die dort dann höhere Flüssigkeitssäule wieder für Druckausgleich sorgt.
b) Der Trinkhalm darf höchstens 10 m lang sein, dann ist der Druck der Flüssigkeitssäule gleich dem äußeren Luftdruck. Für uns Menschen ist ein Druck von 0 Pa im Mund nicht zu erreichen, ein realistischer Wert für nicht-trainierte Menschen liegt bei ca. 3 m.

c) Saugpumpe:

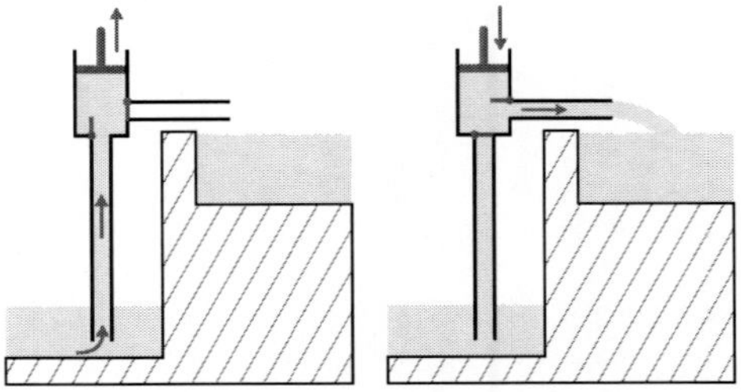

Links: Durch Hochziehen des Kolbens nimmt man den Luftdruck von der Wasseroberfläche. Auf dem unteren Wasserspiegel bleibt dieser Druck von etwa 1 bar. Bis zu einer Höhe von 10 m kann dann der hydrostatische Druck am Boden der Flüssigkeitssäule im Steigrohr den äußeren Luftdruck ausgleichen.
Rechts: Beim Drücken des Kolbens schließt sich das Ventil zum Wasserreservoir, das Wasser wird ausgegossen.
Druckpumpe:

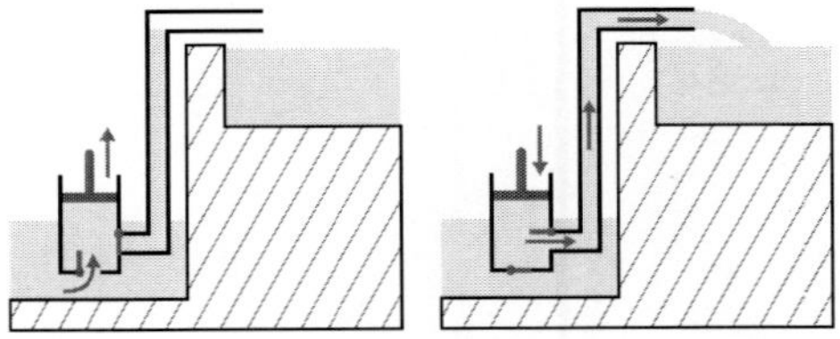

Links: Der Kolben wird hochgezogen, oberhalb der Wassersäule verschwindet der Luftdruck, über dem Wasserreservoir bleibt er. Aufgrund des Druckunterschiedes strömt Wasser vom Reservoir in den Pumpenzylinder von geringer Höhe.
Rechts: Beim Drücken des Kolbens schließt sich das Ventil zum Wasserreservoir, das Wasser im Zylinder wird in das Steigrohr gepresst.
Kleiner Unterschied, große Wirkung:
Mit der Saugpumpe kann ein maximaler Höhenunterschied von ungefähr 10 m überwunden werden.
Für größere Höhenunterschiede muss die Druckpumpe eingesetzt werden.
Andere Aspekte sind aber auch:
- Saugpumpen können nicht „trocken fallen“.
- Wenn der Brunnen genügend tief ist, können sie nicht durch Frost beschädigt werden.

TEMPERATUR UND ENERGIE

Seite 169

A 1: Man überprüft die Fixpunkte 0 °C und 100 °C bei normalem Luftdruck von 1013 hPa.

A 2: Thermometer a) im Labor, b) medizinisch als Fieberthermometer, c) Zwei der elektrischen Thermometer ebenfalls als Fieberthermometer, davon das obere als Schnellthermometer bei Säuglingen, c rechts) elektrisches Vielzweckthermometer, vor allem im Labor, d) Außenthermometer begrenzter Genauigkeit, e) Schmuckthermometer mit grobem Raster. a) und b) sind Flüssigkeitsthermometer.
Hat das Digitalthermometer einen Messfühler am Ende eines Kabels, kann die Temperatur auch aus der Ferne abgelesen werden.

A 3: Bei Umkehrung der Skala wäre „heiß" bei niedrigem Zahlenwert für die Temperatur (z. B. 73 °C bei „Hitzefrei") und „kalt" bei hoher Temperatur (z. B. 95 °C im Kühlschrank).

Seite 171

A 1: Da beide Materialien sich in gleichem Maße mit der Temperatur ausdehnen, zerstört der Stahl den Beton nicht.

A 2: Zwei Antworten werden häufig genannt:
- Die Kugel hat sich abgekühlt. Wegen des kleineren Volumens fällt sie durch die Öffnung.
- Der Ring hat sich durch den Kontakt mit der heißen Kugel mittlerweile erwärmt und eine größere Öffnung bekommen – die Kugel fällt.

Tatsächlich passiert beides gleichzeitig.

Seite 173

A 1: Wegen der Ausdehnungsanomalie: Im Temperaturbereich zwischen 0 °C und 9 °C wäre die Anzeige nicht eindeutig. Bei starker Abkühlung würde das entstehende Eis zudem das Thermometergefäß sprengen.

A 2: Das Glas taucht in das kalte Wasser und zieht sich zusammen, bevor die Thermometerflüssigkeit sich abkühlen kann. Diese steigt in dem nun kleineren Gefäß höher.

A 3: Bei beiden Stoffen werden die Teilchen während der Abkühlung langsamer. Das Volumen des Körpers wird kleiner. Schließlich wird der Stoff fest: Wasser bei 0 °C, Wachs bei höherer Temperatur in einem größeren Temperaturbereich.
Beim Wasser beachte man außerdem die Anomalie: Festes Wasser hat ein größeres Volumen als flüssiges.

A 4: Der Abstand wird größer, weil sich die Rohre durch die einseitige thermische Ausdehnung nach außen krümmen.

A 5: Beim Abkühlen schrumpft der Kupferdraht stärker als seine Glasumhüllung. Die Verbindung wäre weder fest noch gasdicht.

A 6: Das Stahllineal ist zu lang; die Messwerte werden zu klein.

A 7: Es ist $\Delta l = 1{,}7$ mm bei $l_0 = 1$ m und $\Delta\vartheta = 100$ K.
Hier ist deshalb $\Delta l = 1{,}7 \text{ mm} \cdot 1{,}2 \cdot 0{,}4 = 0{,}8$ mm.

A 8: Der Eiffelturm ist etwa um 18 cm größer:
$1{,}2 \text{ mm} \cdot 300 \cdot 0{,}5 = 180$ mm.

A 9: Eine Pendeluhr mit temperaturabhängiger Pendellänge würde nicht immer gleich schnell gehen (bei längerem Pendel langsamer).

Seite 175

A 1: Die Handflächen werden heiß.
Erklärung: Beim Reibungsvorgang verhaken sich die einzelnen Teilchen der Hautoberflächen, reißen sich schließlich los und geraten so in heftige Bewegung.

A 2: Die einheitliche heftige Bewegung der Hammerteilchen überträgt sich auf die Teilchen des Hufeisens. Diese bewegen sich ungeordnet schließlich sehr schnell, die Temperatur nimmt einen so großen Wert an, dass das Eisenstück glüht.

A 3: Als Beispiele könnten genannt werden:
- Handgriffe am Kochtopf; im direkten Kontakt zum siedenden Wasser sind sie innen heiß, außen an der Umgebungsluft sind sie kalt. Energie strömt in den Griff, er wird auch außen heißer; wir spüren es beim Anfassen. Erst, wenn das Wasser wieder auf Umgebungstemperatur ist, strömt keine Energie mehr.

- Heizungskörper einer Zentralheizung; innen (im oberen Bereich) fließt Wasser mit einer Temperatur von etwa 50 °C, die Luft außen hat möglicherweise 18 °C. Energie strömt – wie gewünscht – durch die Metallwand des Heizkörpers von innen nach außen. Auch hier ist die Temperaturdifferenz notwendige Voraussetzung.
- Sonnenstrahlen erhitzen die obere Schicht des Bodens. 10 cm tiefer ist die Erde anfangs noch kalt. Am Abend überprüft man noch einmal: Jetzt hat die Temperatur auch in tieferen Schichten zugenommen. In der sternklaren kalten Nacht ist die Erde im Boden wärmer als an der Oberfläche, Energie fließt von unten nach oben. Zwischendurch sind die Temperaturen ausgeglichen, Energie strömt dann nicht.

Das Wetter der vergangenen Tage im Vergleich

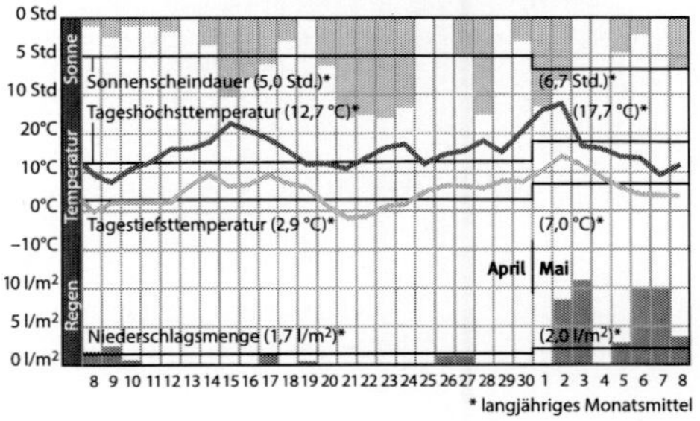

Es ist nicht vernünftig, die Messpunkte zu verbinden. Zwischendurch (innerhalb von 24 Stunden!) hat die Temperatur bestimmt viel tiefere Werte und vielleicht auch höhere Werte.

Seite 176

A 1: Referat

- Sinn der Dämmung: Minimierung des Energiestromes (meist) von innen nach außen. Man wählt schlechte Wärmeleiter mit sinnvoller Wanddicke.
- Mögliches Experiment: Man nimmt einen Topf mit heißem Wasser oder einen heißen Backstein (Backofen). Dann lässt man den Gegenstand einmal ohne Dämmung, einmal mit Dämmung (Schal mehrmals herumgewickelt) abkühlen. Die Temperatur wird in regelmäßigen Zeitabständen gemessen und protokolliert.
- Zur Beantwortung verlängert der Schüler den linearen Abschnitt des Graphen in [0 cm; 22 cm] über 22 cm hinaus, bis der y-Wert (Temperatur) auf 5 °C gesunken ist. Dies ist etwa bei 70,4 cm der Fall.
- Alternative: Aufstellen der Geradengleichung und Schnittpunkt mit $y = 5$ berechnen.
- Bei gleicher Druckdifferenz müsste man gleich lange Rohre mit verschiedenen Widerständen wählen, z. B. mit verschiedenen Querschnittsflächen.

Seite 179

A 1: Man hält das Thermometer in eine Eis-Wasser-Mischung und verschiebt die Skala, bis die 0 °C-Marke mit der Oberkante der Flüssigkeitssäule übereinstimmt. Im siedenden Wasser müsste das Thermometer nun wieder 100 °C anzeigen.

A 2: Im Wetterbericht der Zeitung kann man Wochendiagramme finden, die möglicherweise noch weitere Informationen enthalten.

A 3: **a)** Die Betonrohre biegen sich von der Sonnenseite weg.
b) Die Turmspitze wandert deshalb im Laufe des Tages von oben betrachtet im Uhrzeigersinn.

A 4: Das im Bild obere Material muss sich bei Temperaturerhöhung mehr ausdehnen als das untere. So könnte es sein: Oben Messing, unten Eisen.

A 5: Wenn Anna mit der Flamme zu heizen beginnt, wird als erstes das Vorratsgefäß erhitzt. Es vergrößert sein Volumen. Die Ausdehnung der Flüssigkeit beginnt erst etwas später, wenn die Temperaturerhöhung nach innen „gewandert" ist. Zu Anfang des Versuchs steht also für das noch unveränderte Flüssigkeitsvolumen mehr Raum zur Verfügung, der Wasserspiegel im Steigrohr sinkt.

A 6: **a)** Teilchen der Hände verhaken sich mit der Oberfläche des Seils und reißen wieder los. Danach bewegen sie sich heftig, die Handoberfläche hat eine hohe Temperatur.
b) Die Energieerhaltung wäre nicht verletzt, die Erfahrung zeigt aber, dass ein solcher Vorgang in der Natur nicht vorkommt. (Die Wahrscheinlichkeit dafür, dass die ungeordnete Bewegung der Handteilchen sich umwandelt in die geordnete Bewegung aller Körperteilchen nach oben ist praktisch null.)

A 7: Wasser nimmt im gefrorenen Zustand mehr Raum ein als im flüssigen. Wenn also das Eis schmilzt, könnte die entstandene Wassermenge vollständig im Becher verbleiben. Der „Gutachter/die Gutachterin" wird also den Vorgang experimentell untersuchen und das Ergebnis als schriftlichen Text vorlegen.

A 8: a) 1 m Stahlseil verlängert sich bei einer Temperaturerhöhung von $\Delta\vartheta = 100$ K um $\Delta l = 1{,}2$ mm.
Bei $\Delta\vartheta = 15$ K und $l_0 = 1500$ m beträgt die Verlängerung dann $\Delta l = 1{,}2 \text{ mm} \cdot 1500 \cdot (15/100) = 270$ mm.
b) Z. B.:

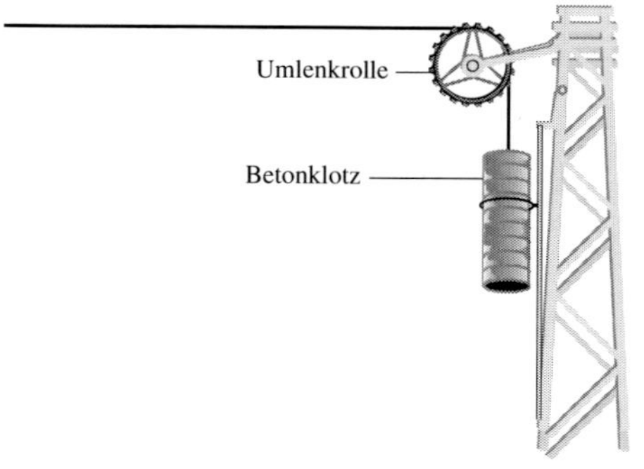

A 9: *Temperatur:* Maß für die mittlere Bewegungsenergie je Teilchen.
Innere Energie: Summe der Bewegungsenergien aller Teilchen (bei Gasen). Nimmt man von den „fünf Würstchen" ein Würstchen weg, haben die restlichen vier immer noch dieselbe Temperatur, aber zusammen weniger innere Energie.

A 10: a) Ein Meter Eiffelturm dehnt sich bei 50 °C Temperaturerhöhung um 0,6 mm aus. Der 300 m hohe Turm ist demnach im Sommer 180 mm höher.
b) Wäre er aus Messing, würde 1 m bereits eine Längenänderung von 0,95 mm erfahren. Somit wäre der gesamte Turm im Sommer 285 mm höher.

A 11: Im mittleren Fall ist die Energiestromstärke größer als im oberen Fall, da die Temperaturdifferenz im mittleren Fall größer ist. Im oberen Fall ist sie wiederum größer als im untersten, da der Stab dicker ist. Also ist sie im mittleren Fall am größten, im unteresten Fall am kleinsten. Noch kleiner wäre sie, wenn der Stab bei der Temperaturdifferenz von 90 °C – 25 °C noch dünner wäre (lässt sich leicht zeichnen), oder wenn bei gleich dünnem Stab die Temperaturdifferenz noch geringer wäre, z. B. nur 90 °C – 50 °C.

A 12: Dies könnte man schreiben: *Hallo Fabian, auch für die Saiten deiner Gitarre gilt: Sie dehnen sich bei Temperaturerhöhung aus. Die Spannung nimmt also ab, wenn du mit der Gitarre aus einem kalten in einen warmen Raum gehst. Die Gitarre klingt tiefer.*

A 13: Das Alpakahaar ist innen hohl. Deshalb ist die Speicherfähigkeit geringer als bei einem massiven Haar mit gleichem Durchmesser und gleicher Länge. Die Speicherfähigkeit ist also nicht der Vorteil des Haares. Vorteilhaft ist vielmehr die bessere Dämmfähigkeit des Haares durch den Hohlraum, durch den die Wärmeleitung behindert ist. Die Internetaussage stimmt also nur, wenn der Körper als Energiespeicher gemeint ist und nicht das Haar.

MAGNETISMUS

Seite 192

A 1: Nach dem Ordnen der Elementarmagnete im Nagel liegen ihre Südpole jeweils näher an dem Nordpol des Stabmagneten als ihre Nordpole. Die anziehende Kraft ist damit insgesamt größer als die abstoßende.

A 2: a) Der Kraftpfeil $\vec{F}$ liegt tangential zur Feldlinie, die Pfeilspitze zeigt noch „oben". Die von den einzelnen Polen N und S herrührenden Kraftpfeile zeigen für den Südpol S in Richtung von A nach S (Anziehung ungleichnamiger Pole), für den Nordpol N in Richtung von N nach A (Abstoßung gleichnamiger Pole). Addiert man die Kraftpfeile $\vec{F_1}$ und $\vec{F_2}$ vektoriell, so erhält man den Kraftpfeil $\vec{F}$.

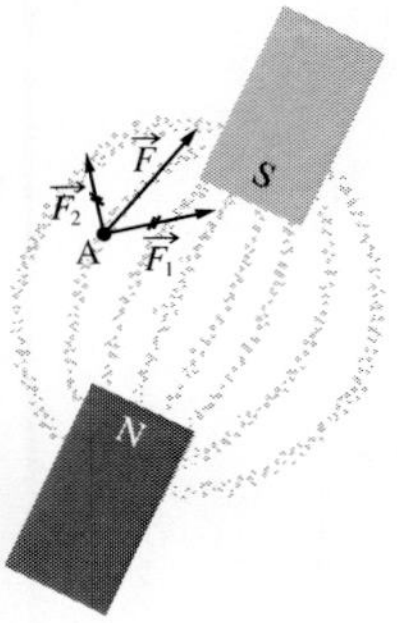

b) Im rechten Bild stehen sich gleichnamige Pole gegenüber. Die Feldlinien „stoßen" sich ab. Falls sich in B ein Probenordpol befinden würde, würden sich zwei Südpole gegenüber stehen, weil der Kraftpfeil auf B in Richtung des unteren Poles zeigt.
Falls sich in B ein Probesüdpol befinden würde, würden sich zwei Nordpole gegenüber stehen, weil der Kraftpfeil auf B in Richtung des unteren Poles zeigt.
Die Kompassnadel in C würde sich tangential zur Feldlinie ausrichten. Falls B ein Probenordpol wäre, würde der Nordpol der Kompassnadel in C nach links zeigen, weil sich zwei Südpole gegenüber stehen.
c) Verlaufen die Feldlinien wie im linken Bild von Pol zu Pol, so liegen ungleichnamige Pole gegenüber (Anziehung). Verlaufen die Feldlinien wie im rechten Bild, d. h. „versuchen" die Feldlinien sich zu verdrängen, so liegen gleichnamige Pole gegenüber (Abstoßung).

A 3: a) Beide Enden des Eisenstabes werden von dem sich nähernden Magneten angezogen. Beim Stabmagneten entsteht an einem Ende Abstoßung (gleichnamige Pole stehen sich gegenüber).

b) Der Stab, der mit seinem Ende den anderen Stab in der Mitte genau so kräftig anzieht wie an jeder anderen Stelle, ist der Stabmagnet.

A 4: a) Man nimmt in einer Nacht, in der man den Polarstern sehen kann, einen Kompass und ein feste Unterlage. Man legt den Kompass auf die horizontal gehaltene Unterlage und markiert den Drehpunkt der Kompassnadel. Dann markiert man die Richtung zum Polarstern (geografisch Norden) und die Richtung, in die die Kompassnadel zeigt (magnetischer Südpol). Der zugehörige Winkel gibt die Deklination (Missweisung) an diesem Ort an.
b) Nahe den magnetischen Polen des Erdmagnetfeldes kann die Deklination bis zu 180° betragen. Befindet sich z. B. ein Kompass nahe des magnetischen Südpols auf der Verbindungslinie zwischen geografischem Nordpol und magnetischem Südpol, so zeigt die Kompassnadel in Richtung magnetischem Südpol und damit nach dem geografischen Süden.
c) *Deklination:* Die Richtung einer Magnetnadel bildet mit der geografischen Nord-Süd-Richtung einen bestimmten Winkel.
Inklination: Die magnetischen Feldlinien der Erde treffen unter einem bestimmten Winkel auf die Oberfläche der Erde. Eine Magnetnadel (waagerechte Achse) dreht sich um diesen Winkel aus der Horizontalebene und zeigt schräg nach unten.
Aus Inklination und Deklination kann man die Feldlinienrichtung bestimmen.

Seite 193

A 5: Da es zwei verschiedene Magnetpole gibt, ist es sinnvoll, ihnen zur Unterscheidung Namen zu geben. Eine Magnetnadel, die drehbar aufgehängt wird, stellt sich in geografische Nord-Süd-Richtung ein (abgesehen von der Missweisung). Man hat deshalb den Magnetpol der Magnetnadel, der geografisch nach Norden zeigt, magnetischen Nordpol genannt und entsprechend den anderen Magnetpol magnetischen Südpol.

A 6: Da die Ringmagnete sich abstoßen, stehen sich immer gleichnamige Pole gegenüber. Deshalb folgende Farbgebung von unten nach oben:
- unterer Ringmagnet unten grün (Südpol), oben rot (Nordpol),
- mittlerer Ringmagnet unten rot (Nordpol), oben grün (Südpol),
- oberster Ringmagnet unten grün (Südpol), oben rot (Nordpol).

A 7: Idee für den Apparat: Mit Hilfe eines Magneten kann man magnetisierbare Münzen (mit Eisen oder Nickel-Anteil) von nicht magnetisierbaren Münzen unterscheiden.
Beispiel: Man lässt auf einem Laufband die Münzen dicht unterhalb eines Pols eines starken Magneten vorbei laufen. Magnetisierbare Münzen werden angezogen und können so aussortiert werden, nicht magnetisierbare Münzen laufen mit dem Laufband weiter.

Münzsorte	Material		Magnetisierbarkeit
2 Euro	außen: Kupfer-Nickel	innen dreischichtig: Nickel-Messing, Nickel, Nickel-Messing	schwach magnetisierbar
1 Euro	außen: Nickel-Messing	innen dreischichtig: Kupfer-Nickel, Nickel, Kupfer-Nickel	schwach magnetisierbar
50 Cent	Kupfer-Aluminium-Zink-Zinn-Legierung („Nordisches Gold")		nicht magnetisierbar
20 Cent	Kupfer-Aluminium-Zink-Zinn-Legierung („Nordisches Gold")		nicht magnetisierbar
10 Cent	Kupfer-Aluminium-Zink-Zinn-Legierung („Nordisches Gold")		nicht magnetisierbar
5 Cent	Stahl mit Kupferauflage		stark magnetisierbar
2 Cent	Stahl mit Kupferauflage		stark magnetisierbar
1 Cent	Stahl mit Kupferauflage		stark magnetisierbar

A 8: Im Unterricht wurde eine Eisennadel durch Überstreichen mit einem starken Stabmagnet magnetisiert. Sie hatte an den Enden anschließend einen Nord- und eine Südpol. Dann wurde die Eisennadel in der Mitte zerbrochen. Beide Teile hatten wiederum an den Enden einen Nord- und einen Südpol. Wiederholtes Teilen führte immer wieder zu magnetischen Dipolen. Nun stellt man sich vor, dass man das Teilen bis zu kleinsten, nicht weiter teilbaren Bestandteilen fortsetzen könnte. Diese nennt man Elementarmagnete (Skizze 183.V2).

A 9: Mögliche Beispiele:
Magnetisieren einer Stahlnadel mit einem Stabmagnet, Entmagnetisieren eines Nagels durch Temperaturerhöhung, Bildung einer Nagelkette an einem Stabmagnet ...

A 10: Beim Entmagnetisieren durch Erschüttern kann das magnetisierte Eisenstück eventuell durch zu starkes Erschüttern beschädigt werden. Andererseits braucht man zum Erschüttern keine besonderen Werkzeuge.
Beim Entmagnetisieren durch Erhitzen benötigt man hohe Temperaturen, dabei kann das magnetisierte Eisenstück eventuell beschädigt werden. Man benötigt außerdem z. B. eine entsprechende heiße Gasflamme. Anderseits klappt das Entmagnetisieren zuverlässig.

A 11: Der Pfeil an der magnetischen Feldlinie zeigt nach Definition in Richtung der Kraft auf einen Nordpol. Da der Kraftpfeil in die entgegengesetzte Richtung zeigt, ist der „Probepol" ein magnetischer Südpol.

A 12: *Hinweis:* Im Dorn-Bader-Titel 86731, Ausgabe A1, ist die Aufgabenstellung nicht korrekt. Sie muss lauten:
Eine drehbare Magnetnadel stellt sich in der Nähe eines Stabes ein, wie in der Skizze gezeichnet.

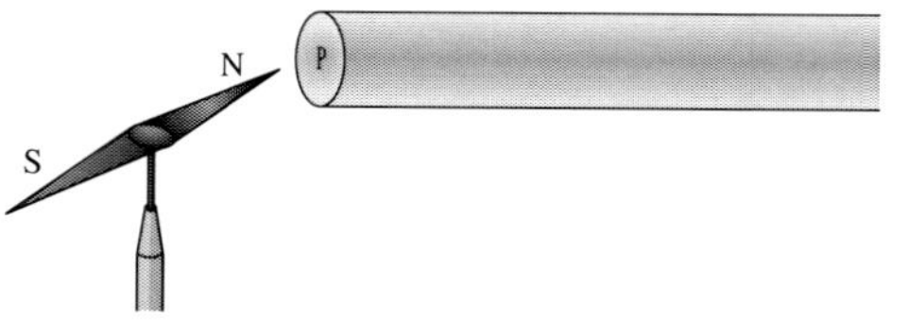

Begründe, welche der Aussagen über das mit P bezeichnete Ende des Stabes richtig und welche falsch sind. Das Ende P kann

a) nur der Nordpol eines Dauermagneten sein,
b) nur der Südpol eines Dauermagneten sein,
c) sowohl der Nordpol als auch der Südpol eines Dauermagneten sein,
d) der Südpol eines Dauermagneten oder das Ende eines Eisenstabes sein,
e) nur das Ende eines Eisenstabes sein. Die Lösung lautet dann:

Aufgabe	Aussage	Begründung
a)	falsch	Weil sich gleichnamige Pole abstoßen, kann das linke Stabende P kein Nordpol eines Dauermagneten sein.
b)	falsch	Weil das Wort „nur" falsch ist. P könnte auch das Ende eines Eisenstabes sein.
c)	falsch	Weil sich gleichnamige Pole abstoßen, kann das linke Stabende kein Nordpol eines Dauermagneten sein.
d)	richtig	P kann der Südpol eines Dauermagneten sein oder das Ende eines Eisenstabes, der durch die Magnetnadel etwas magnetisiert wurde, sodass am linken Ende P des Eisenstabes ein Südpol entstanden ist.
e)	falsch	Das Wort „nur" ist falsch, weil P auch der Südpol eines Dauermagneten sein könnte

A 13: a) Unten am Heizkörper beobachtet man, dass der Südpol einer Kompassnadel angezogen wird, oben dass der Nordpol einer Kompassnadel angezogen wird. In unseren Breiten verlaufen die Magnetfeldlinien des Erdmagnetfeldes in die Erde hinein (vgl. 188.B1). Die Elementarmagnete des Eisens, aus dem der Heizkörper besteht, werden so ausgerichtet, dass ihre Nordpole zum Erdboden hinzeigen. Also befindet sich unten am Heizkörper ein Nordpol und oben ein Südpol.
b) Wenn der Heizkörper im Winter eine hohe Temperatur hat, geht das Ausrichten der Elementarmagnete nicht so gut.

A 14: Im Alltag wird i. a. die Anziehung von einem Magnet und Eisen oder die Anziehung von ungleichnamigen Polen zweier Magneten genützt.
Beispiele: Magnet an
- einer Schnur, um Gegenstände mit Eisenanteil aufzuheben,
- einem Türrahmen, um eine Schranktür zu schließen,
- einem Spiraldraht, um in Ritzen gefallene Eisenteile hochzuheben.

A 15: Diese Idee ist leider nicht durchführbar, weil es keine magnetischen Monopole gibt. Eine weitere Schwierigkeit träte auf, wenn die Schiffe aus Eisen wären, weil dadurch das Magnetfeld der geladenen Magnete abgeschirmt werden könnte.
Die Lagerung sehr vieler, starker und gleicher magnetischen Monopole wäre, wenn es sie gäbe, in den Häfen wegen der wechselseitigen Abstoßung nicht einfach. Ost-West-Routen der Schiffe wären damit nicht möglich.

A 16: Magnetische Feldlinien geben in jedem Punkt des Magnetfeldes die Richtung der Kraft auf einen Probepol an. Würden sich magnetische Feldlinien (des resultierenden Feldes) kreuzen können, so wäre die magnetische Kraft in diesem Kreuzungspunkt nicht eindeutig. Dies kann aber nicht sein.

A 17: Ein „Kuhmagnet" ist ein starker zylindrischer Magnet, der in den Netzmagen des Rindes eingeführt wird. Er zieht eisenhaltige Fremdkörper an (z. B. metallische Gegenstände von z. B. landwirtschaftlichen Maschinen), die beim Fressen in das Verdauungssystem gekommen sind, und verhindert so deren Weitertransport beim Verdauen. Der Kuhmagnet reduziert das Risiko, dass der Fremdkörper innere Organverletzungen und damit Entzündungen verursacht.

A 18:

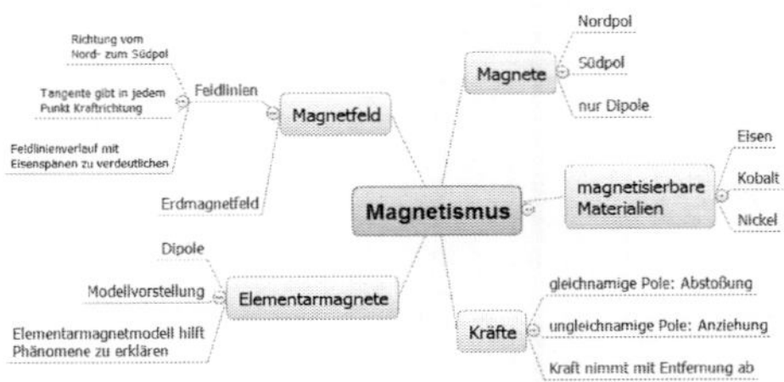

A 19: Eine mögliche Bearbeitung der Aufgabe könnte so aussehen:
Hypothese: Wenn der Abstand der Magnete doppelt so groß ist, dann ist die anziehende (abstoßende) Kraft nur halb so groß.
Versuchsaufbau:
Ein Stabmagnet wird am Tisch befestigt. Der andere Stabmagnet wird in ein leicht bewegliches Wägelchen gelegt, an dem ein Kraftmesser befestigt ist. Es sollen sich ungleichnamige Magnetpole gegenüberstehen, also soll Anziehung zwischen den Magneten erfolgen. Der jeweilige Abstand zwischen den Magneten wird mit Distanzstücken geeigneter Dicke eingestellt. Dann wird durch Ziehen am Kraftmesser diejenige Kraft ermittelt, die zum Ablösen des Magnetwägelchens vom Distanzstück benötigt wird.
(*Anmerkung:* Die Distanzstücke sind aus nicht magnetisierbarem Material.)

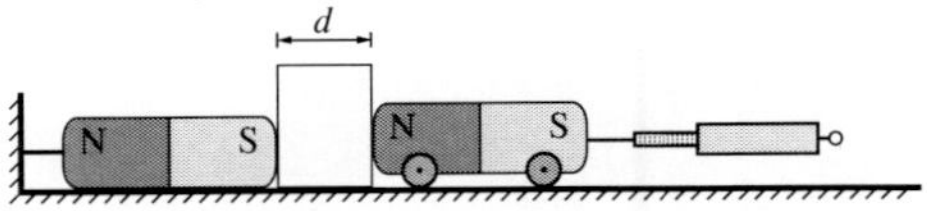

Versuchsdurchführung:
Zwischen die gegenüberliegenden Pole der Stabmagnete wird ein Distanzstück der Dicke d gebracht. Die Dicke d wird mit einem Messschieber ermittelt. Nun wird am Kraftmesser gezogen bis das Wägelchen mit dem Magnet sich vom Distanzstück entfernt. Der Betrag F der gerade ausgeübten Kraft wird am Kraftmesser abgelesen.
Messtabelle:

***d*/cm**	0,1	0,2	0,4	0,5	1,0	1,5
***F*/N**	0,9	0,7	0,6	0,45	0,15	0,05

Messdiagramm:

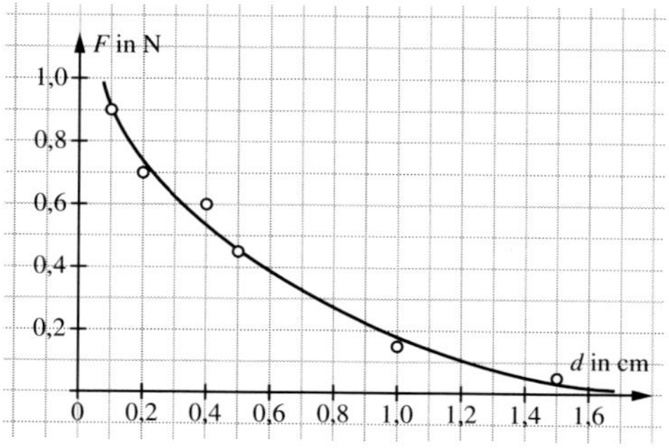

Vergleich von Messergebnissen und Hypothese:
Mit wachsendem Abstand d wird die anziehende Kraft F in der Tat kleiner. Der umgekehrt proportionale Zusammenhang von F und d der Hypothese wird aber nicht bestätigt.

A 20:

Material	**Abschirmung gut**	**Abschirmung mittel**	**Abschirmung schlecht**
Eisen	×		
Holz			×
Glas			×

Ladung, Strom, Spannung

Seite 197

A 1: Gleiches Prinzip, aber verschiedene technische Details: Ein Kurzschluss zwischen Sockel mit Gewinde und Kontaktpunkt wird durch die Isolation verhindert. In Bild B1b) dienen die beiden schwarz gezeichneten Drähte nur zum Halten des Glühfadens der Glühlampe.

A 2: Die Feder presst den Pluspol der Batterie an das Lämpchen und stellt einen sicheren Kontakt zwischen Minuspol und Gehäuse her.
In Taschenlampen mit Kunststoffgehäuse ersetzt ein Draht das elektrisch leitende Metallgehäuse.

Seite 199

A 1: a) Wasserpumpe – Stromquelle (Generator), Turbine Lampe usw., Absperrventil – Schalter
b) Man braucht zwei Wasseranschlüsse für Zu- und Abfluss.
c) Das Absperrventil im geschlossenen Kreis ist auch in der Rückleitung möglich.
d) Einem schlechten Leiter entspricht im Wassermodell ein dünnes, langes, fast verstopftes Rohr.
e) Ein elektrischer Schalter bzw. ein Ventil haben sich entsprechende Funktionen im elektrischen Stromkreis bzw. im Wasserstromkreis.
f) Die Energie gelangt zur Turbine und wird dort als mechanische Energie abgegeben oder sie erhöht die innere Energie der Umgebung und damit deren Temperatur. Im geschlossenen Wasserstrom„kreis" geht kein Wasser verloren.
Beim elektrischen Stromkreis liefert der Generator Energie, die im „Verbraucher" umgewandelt wird (in mechanische Energie, innere Energie, Licht).

A 2: a) „Es fließt Strom" suggeriert, dass Strom die hier „fließende" Substanz ist; dies Sprechweise liefert einen sog. Pleonasmus, d. h. eine unnötige Häufung sinnähnlicher Ausdrücke, die statt zu erhöhter Klarheit zu Verwirrung führen kann. Wir sprechen deshalb im Buch nicht vom „fließenden Strom", sondern von „fließender Ladung" oder von „fließenden Elektronen" als Ladungsträgern. Ebenso verhält es sich mit der Redewendung „der Wind weht". Eigentlich müsste man sagen, dass sich Luftteilchen bewegen. Wenn der Wind nicht weht, gibt es gar keinen Wind.
b) Bei dem Wort „Strom" stellt man sich vor, dass etwas strömt. Die angeführten Redewendungen sind also nicht korrekt.
- Zu „es fließt Strom" siehe Lösung zu a).
- Wenn kein Gerät angeschlossen ist, ist in einer Steckdose kein Strom, weil nichts strömt, auch keine Elektronen. Es ist Ladung getrennt.
- Auf einer isolierten Metallkugel ist kein Strom. Wenn sie elektrisch geladen ist, dann gibt es je nachdem, ob sie positiv oder negativ geladen ist, einen Überschuss an positiven oder negativen Ladungsträgern.

Seite 201

A 1: a) *Nach Vermutung A:* Die negative Ladung im Elektroskop würde von der positiven Ladung der Kugel nach oben gezogen werden. Die positive Ladung würde im Elektroskop am Ort verbleiben. Damit ergäbe sich ein Überschuss an negativer Ladung auf der Metallkugel auf dem Elektroskop.
Nach Vermutung B: Die positive Ladung im Elektroskop würde von der positiven Ladung der Kugel nach unten abgestoßen werden. Die negative Ladung würde im Elektroskop am Ort verbleiben. Damit ergäbe sich ein Überschuss an negativer Ladung auf der Metallkugel auf dem Elektroskop.
Nach Vermutung C: Die negative Ladung im Elektroskop würde von der positiven Ladung der Kugel nach oben gezogen werden, die positive Ladung im Elektroskop würde von der positiven Ladung der Kugel nach unten abgestoßen werden. Damit ergäbe sich ein Überschuss an negativer Ladung auf der Metallkugel auf dem Elektroskop.
b) analog wie a)

Seite 203

A 1: a) Versuch 1 spricht für eine Verschiebung von negativ geladenen, nicht an Materie gebundenen Ladungs trägern. Die Denkmöglichkeit A bei der Influenz wird bestätigt.
b) In Versuch 4, S. 201 sind Elektronen nach oben geflossen; die Influenzladung Q_{i-} besteht aus Elektronen; Q_{i+} bedeutet, es überwiegt die positive Ladung (Elektronen fehlen).

A 2: **a)** Um zu testen, ob auch positive Ladungsträger aus dem Draht freigesetzt werden können.
b) Ein geringer Überschuss an Elektronen auf dem Elektroskop verhindert, dass weitere Elektronen auf das Elektroskop gelangen.

A 3: **a)** Die linke und die obere Ablenkplatte muss man negativ laden, die beiden anderen positiv.
b) In 1 s ist der Lichtpunkt 50-mal oben und 50-mal unten.

A 4: Die Elektronen würden weiteren Elektronenzufluss blockieren – siehe 203.A2.

Seite 205

A 1: **a)** Die Reihenfolge von Glimmlampe und Quelle ist gleichgültig; der Pluspol befindet sich links (zur Anode hin), der Minuspol weist im Kreis zur Glimmlampe hin.
b) Quellen lassen sich – wie Wasserpumpen – hintereinander legen: Der Elektronenausgang (Minuspol) der einen Quelle wird mit dem Elektroneneingang (Pluspol) der anderen Quelle verbunden. Bei Wechselstrom müssten beide also gleichzeitig die Polarität wechseln.
c) Man könnte auch mehrere Glimmlampen hintereinander legen (Versuch 1). Jeweils würde das Gas um die Elektroden leuchten, die zum Minuspol der Quelle zeigen.

A 2: Mit dem Absinken der Temperatur des Glühdrahts versiegt der Elektronenausstoß.

A 3: In 10 s ist der eine Pol der Steckdose 500-mal positiv und 500-mal negativ geladen. Es finden also 1000 Umladungen statt. Die Bewegungsrichtung der Elektronen wechselt 1000-mal in 10 s.

Seite 209

(Planarbeit)

A 1: Mitteilungen: Vor allem bei der Größe der Elektronen und ihrer Ladung. Kein Physiker kommt ohne die Übernahme geprüfter Mitteilungen anderer aus.

A 2: „Elektrisch neutral" heißt: Es ist keine Ladung oder gleich viel an positiver und negativer Ladung vorhanden. Alle aus Atomen bestehende Körper haben Ladung, auch wenn sie neutral sind bzw. die Ladung neutralisiert ist. (Dies gilt auch für Neutronensterne; die Quarks in Neutronen sind ebenfalls geladen; siehe Dorn·Bader Physik, Sek. II.)

A 3: Elektronen werden vom Äußeren der Anordnung (Becheroberfläche und Elektroskop) in die Kugel gezogen. Das Innere ist neutral; die Becheroberfläche und das angeschlossene Elektroskop sind positiv geladen.

	Kugel positiv geladen	**Kugel negativ geladen**
Kugel wird dem Elektroskop genähert.	Der Ausschlag nimmt zu. Die positiv geladene Kugel zieht bewegliche Elektronen aus dem Elektroskop nach oben zum Elektroskopkopf. Dadurch wird die positive Ladung auf dem Elektroskop größer.	Der Ausschlag nimmt ab. Die negativ geladene Kugel stößt bewegliche Elektronen aus dem Elektroskopkopf in das Elektroskop. Dadurch wird die positive Ladung auf dem Elektroskop kleiner.
Kugel berührt das Elektroskop.	Der Ausschlag nimmt zu. Die positiv geladene Kugel zieht Elektronen aus dem Elektroskop heraus. Damit nimmt die positive Ladung auf dem Elektroskop zu.	Der Ausschlag nimmt ab. Die negativ geladene Kugel gibt Elektronen an das Elektroskop ab. Damit nimmt die positive Ladung auf dem Elektroskop ab. *Anmerkung:* Vorausgesetzt wird, dass die negative Ladung auf der Kugel kleiner als doppelt so groß wie die positive Elektroskopladung ist.

A 5: (Schülernennungen)

Seite 211

A 1: Ein Strom führender Leiter wird in Nord-Süd-Richtung über der Kompassnadel angebracht. Bewegen sich in ihm Elektronen von Süd nach Nord, dann wird die Kompassnadel nach „rechts", also nach Osten abgelenkt.
Bewegen sich die Elektronen von Nord nach Süd, dann erfolgt die Ablenkung nach „links" in westliche Richtung.
Um die Kompassnadel nach Süden abzulenken, muss der Strom führende Leiter senkrecht stehen (vgl. Versuch 2). Wenn sich die Elektronen nach oben bewegen, muss man die Kompassnadel auf die linke Seite des Leiters stellen.

A 2: Die Feldlinien bilden Kreise in Ebenen, zu denen der Leiter senkrecht liegt. Die Feldlinien weisen vorne nach unten, hinten nach oben.

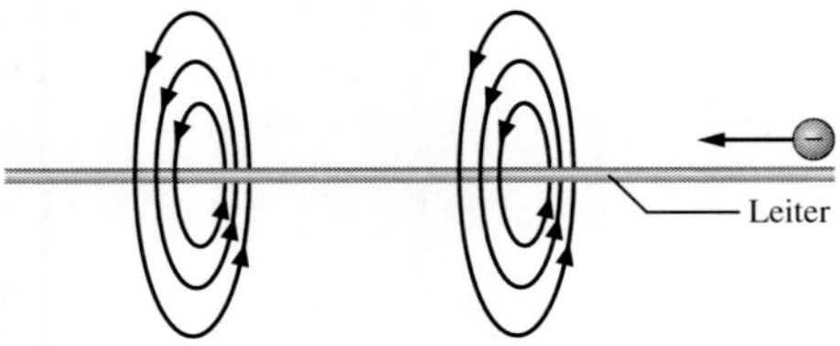

Seite 213

A 1: Die Elementarmagnete des Eisenstabs sind mit ihren Nordpolen in die Feldlinienrichtung gedreht. Diese Nordpole erfahren im Feld Kräfte nach unten (in Richtung der Feldlinien), Südpole dagegen nach oben.

A 2: Der Südpol des Stabes befindet sich nun in einem stärkeren Feld als der Nordpol. Deshalb überwiegt nun eine Kraft nach oben. Nord- und Südpol haben sich nicht geändert.

A 3: Wird in einer Spule die Stromrichtung vertauscht, so ändert sich die Bewegungsrichtung der fließenden Elektronen. Nach der Linke-Faust-Regel ändert sich damit die Richtung der Magnetfeldlinien. Damit werden die der Spule an ihren Enden zuordenbaren Magnetpole vertauscht.

Seite 217

A 1: a) Zeitdauer für das Volltanken:
t = 150 ℓ/(12 ℓ/s) = 12,5 s (aktueller Wert für Formel 1: Tankgeschwindigkeit max. 22 ℓ/s).
b) Nach Auskunft einer Tankstelle gilt: 35–40 ℓ/min. Damit wäre die Zeitdauer für das Volltanken:
t = 150 ℓ/(40 ℓ/min) = 3,75 min = 225 s.

A 2: Die zu übertragende Dateigröße beträgt 20 Mbyte = 20 · 8 Mbit = 160 Mbit. Die minimale Downloadzeit beträgt somit t = 160 Mbit/(16 Mbit/s) = 10 s.

A 3: a) Wenn Autos an der zweiten Kontrollstelle kurzzeitig dichter fahren, kann die Verkehrsstromstärke größer sein, auch wenn die Fahrzeuge langsamer fahren! Die Stromstärke ist kein Maß für die Geschwindigkeit!
Auch könnten Autos an einem Parkplatz ausscheren oder sich neu in den Verkehr einfädeln.
b) Elektronen können sich viel weniger individualistisch verhalten! Beim unverzweigten Stromkreis ist die Stromstärke überall gleich groß.

A 4: Die Zeitdauer beträgt 9 h; die durchschnittliche Besucherstromstärke ist somit 6500 Besucher in 9 h ≈ 722 Besucher pro Stunde.

A 5: Eine physikalische Größe besteht i. a. aus einer Maßzahl und einer Einheit (Maßeinheit), z. B. Stromstärke $I = 5$ A. Hierbei ist „5" die Maßzahl und „A" die Einheit. Mit der Gleichung für die physikalischen Größen $I = Q/t$ wird die physikalische Größe Stromstärke I definiert. Mit der Gleichung für die Einheiten 1 A = 1 C/s kann die Einheit 1 A definiert werden. Ähnliche Paare von Gleichungen: Arbeit $W = F \cdot s$; 1 J = 1 N · 1 m; Geschwindigkeit $v = s/t$; $1\,\frac{\text{m}}{\text{s}} = \frac{1\,\text{m}}{1\,\text{s}}$.

A 6: Die Elektronenzahl je Sekunde durch jeden Querschnitt ist gleich groß; in dünnen Drähten fließen Elektronen schneller als in dicken (nach klassischer Drude-Theorie).

Seite 219

A 1: Das Magnetfeld des Stabmagneten (von Pol zu Pol) wird von kreisförmigen Feldlinien um den Stabmagneten überlagert. Eine Magnetnadel dreht sich etwas quer zur Stabachse.

A 2: a) Man berührt mit einer isolierten Kugel (Konduktor genannt) die Kugel des Bandgenerators. Dabei wird der Konduktor gleichnamig wie die Bandgeneratorkugel aufgeladen. Man entfernt dann den geladenen Konduktor und berührt ihn anschließend mit einer Glimmlampe. Leuchtet das Gas um die zugewandte Elektrode der Glimmlampe auf, so war der Konduktor negativ geladen, andernfalls positiv.
b) Man bringt zwei ungeladene Konduktoren, die sich berühren, in die Nähe der Bandgeneratorkugel, ohne dass Ladung überspringt. Der näher am Bandgenerator befindliche Konduktor wird aufgrund von Influenz bezüglich der Bandgeneratorkugel entgegengesetzt aufgeladen. Trennt man die beiden Konduktoren in den Nähe des Bandgenerator, so sind diese entgegengesetzt aufgeladen. Geht man mit einer Glimmlampe an den näher am Bandgenerator gewesenen Konduktor, so kann man seine Ladungsorte ermitteln. Die Bandgeneratorkugel ist entgegengesetzt aufgeladen.

A 3: Der Zusammenhang zwischen Magnetismus und Elektrizität besteht darin, dass ein Strom führender Leiter von einem Magnetfeld umgeben ist. Es gibt also Magnetfelder nicht nur bei Dauermagneten. (Bekannt seit Oersteds Zufallsentdeckung, 1820); Anwendungen dieses Zusammenhangs:

- Elektromagnete, diese bestehen z. B. aus eisengefüllten Spulen. Wird die Spule stromführend, so kann solch ein Elektromagnet z. B. zum Heben von schweren eisenhaltigen Lasten verwendet werden.
- In Elektromotoren befinden sich ebenfalls stromführende Spulen, die Magnetfelder zur Folge haben.

A 4: **a)** Bei elektrischen Kräften gibt es Anziehung und Abstoßung, bei der Gravitation nur Anziehung (es gibt zwei Arten von Ladung, aber nur eine Art von Masse).
b) Die Wirkung unterschiedlicher Magnetpole bzw. unterschiedlicher Ladungen hebt sich nach außen hin auf. Neutralisieren bedeutet aber nicht Ladungsvernichtung.
c) Nein, da es nur eine Art Masse gibt, gibt es keine Neutralisierung.

A 5: Keplers Vermutung war falsch.
Begründungen: Die Erde zieht nicht nur ferromagnetische Stoffe an. Körper fallen in Richtung Erdmittelpunkt und nicht in Richtung der Feldlinien des Erdmagnetfelds. Es gibt bei der Gravitation keine abstoßende Kraft wie beim Magnetismus. Die Gravitationskraft kann man nicht abschirmen.

A 6: Das näher liegende Kügelchen wird angezogen, das andere Kügelchen wird abgestoßen, d. h. die beiden Kügelchen berühren sich nicht mehr.
Begründung: Im Feld der positiven Ladung der Kugel findet Influenz statt. Elektronen der beiden Kügelchen werden in Richtung der positiv geladenen Kugel wandern. Das näherliegende Kügelchen wird negativ, das andere positiv aufgeladen. Damit wird das näherliegende Kügelchen angezogen, das andere Kügelchen abgestoßen.

A 7: Der Minuspol einer Batterie hat Elektronenüberschuss. Dies hat nichts mit dem Nordpol eines Magneten zu tun. Am geografischen Nordpol der Erde (genauer in der Nähe) befindet sich der magnetische Südpol des Erdmagnetfeldes.

A 8: **a)** Ein Elektroskop zeigt beim Einbringen einer Kugel in den Faradaybecher einen Ausschlag, der beim Einbringen der anderen Kugel auf null zurückgeht. Die beiden Kugeln haben also entgegengesetzte, aber gleich große Überschussladung enthalten. Aufgrund von Influenz im elektrischen Feld des Pluspols des Bandgenerators werden Elektronen in Richtung Pluspol gezogen. Die näher am Bandgenerator befindliche Kugel wird negativ, die andere durch Abfluss von Elektronen gleich stark positiv aufgeladen.
b) Nach der Vorstellung fließender Elektronen spielen Größe und Lage der Kugeln keine Rolle (Ladungserhaltung).
c) Überspringende Ladung hört man i. A. durch „Knistern". Wenn Ladung übergesprungen wäre, so wären die beiden Kugel anschließend zusammen nicht mehr elektrisch neutral. Ein Elektroskop würde nach Einbringen beider Kugeln in den Faradaybecher einen Ausschlag zeigen.

A 9: **a)** Die Ladung eines Elektrons (Elementarladung) beträgt: $e = 1/(6{,}24 \cdot 10^{18})\ \text{C} = 1{,}602 \cdot 10^{-19}\ \text{C}$.
b) Die Ladung von $6{,}24 \cdot 10^{18}$ Elektronen ergibt die Ladung 1 C. Damit bilden $n = 6{,}24 \cdot 10^{19}$ Elektronen die Ladung
$Q = 6{,}24 \cdot 10^{19} \cdot 1{,}602 \cdot 10^{-19}\ \text{C} = 10\ \text{C}$.
Einer Ladung von $Q = 10^{-7}\ \text{C}$ entsprechen $6{,}24 \cdot 10^{11}$ Elektronen (zum Vergleich: Erdbevölkerung zu Beginn 2013 ca. $7{,}1 \cdot 10^{9}$ Menschen).

A 10: 30 Skalenteile entsprechen 3 A.
1 Skalenteil entspricht dann 0,1 A.
21 Skalenteile entsprechen somit 2,1 A.

A 11: Dieser häufige Trugschluss rührt daher, dass Karin zwischen den Begriffen „Ladung" und „Ladungsträger" nicht zu unterscheiden gelernt hat. Weil die (ursprünglich neutrale) Metallkugel negativ geladene Ladungsträger (Elektronen) an den positiv geladenen Bandgenerator abgegeben hat, nahm sie positive Ladung an, ohne positiv geladene Ladungsträger aufgenommen zu haben. Der Bandgenerator hat positive Ladung (Einzahl!) verloren, obwohl er keine positiv geladenen Ladungsträger (Mehrzahl) abgab.
Ladung Q ist eben ein physikalischer Begriff (mit der Einheit Coulomb), dessen Wert beim Generator abnahm, bei der Kugel zunahm. Insgesamt blieb dabei die positive Ladung konstant. Der physikalische Begriff entspricht – gerade im elektronischen Zeitalter nicht den geladenen Teilchen. Man darf nicht von „Ladungen" sprechen, wenn man Ladungsträger meint! Vergleiche mit Geld, Schulden und Geldmünzen können hier hilfreich sein.
Bemerkung: Ähnliche Probleme treten auf, wenn man die Begriffe Masse und Körper nicht klar unterscheidet.

A 12: Die Abstoßung durch die anwachsende Elektroskopladung wirkt einem weiteren Ladungsübertritt auf das Elektroskop immer stärker entgegen (würde durch Faradaybecher verhindert).

A 13: a) Schritt 1 und 2: Der Ausschlag steigt.
Schritt 3 und 4: Der Ausschlag nimmt ab, die Ladungen haben sich neutralisiert.
Schritt 5: Der Ausschlag steigt wieder, aber nun von entgegengesetzter Ladung verursacht.
b) Elektronen werden von der Oberfläche ins Innere gezogen. Außen kann man positive Ladung abnehmen; berührt man außen mit einer Glimmlampe, so leuchtet das Gas um die abgewandte Elektrode auf.

A 14: a) Die ungeladene Metallkugel hat gleich viel an positiver wie an negativer Ladung; diese üben entgegengesetzt gerichtete Kräfte von genau gleicher Größe aus.
b) Die kleinen Kügelchen influenzieren in den ihnen zugewandten Teilen der großen Kugel jeweils entgegengesetzte Ladung; dies hat eine schwache Anziehung zur Folge – ein Beweis, dass es in der großen Kugel bewegliche Ladungsträger gibt.

A 15: a) 1 Ah = 3600 As = 3600 C.
b) Zeit $t = Q/I$ = 84 Ah/2 A = 42 h.
Die Anführungszeichen sind deshalb gesetzt, weil der Bleiakku nicht 84 Ah abgibt, sondern die getrennte Ladung im Bleiakku verringert wird.
Anmerkung: Der frisch geladene Akku hat die getrennte Ladung
$Q = 84\ \text{Ah} = 84\ \text{C/s} \cdot 3600\ \text{s} = 3{,}024 \cdot 10^5\ \text{C}$.
c) Bei Parallelschaltung gilt $I = I_1 + I_2$, hier also
$I = 5\ \text{A} + 5\ \text{A} = 10\ \text{A}$.
Damit ergibt sich die Zeit
$t = Q/I = 84\ \text{Ah}/10\ \text{A} = 8{,}4\ \text{h}$.

Seite 221

A 1: Höhenangaben beziehen sich auf Normalnull (NN), Spannungsangaben auf das gewählte Nullniveau, meist Erdpotential $\varphi = 0$ V.

A 2:

Wasserstromkreis	elektrischer Stromkreis
Druck	Potenzial
Druckunterschied	Potenzialdifferenz = Spannung
Pumpe	Spannungsquelle

A 3: a) Zwischen den Enden des Schalters besteht die gleiche Potenzialdifferenz wie zwischen den Polen der Spannungsquelle.
b) Die Enden haben gleiches Potenzial.

A 4: $\varphi(A) = 0$ V; $\varphi(B) = \varphi(C) = 4{,}5$ V.

A 5: a) $\varphi(A) = \varphi(B) = 0$ V; $\varphi(C) = 9$ V.
b) $\varphi(A) = 0$ V; $\varphi(B) = \varphi(C) = 9$ V.

A 6: a) $\varphi(A) = \varphi(B) = \varphi(C) = 12$ V.
b) $\varphi(A) = 12$ V; $\varphi(B) = 6$ V; $\varphi(C) = 0$ V.

Seite 230

A 1: Links oben: 4700 Ω ± 10 % = (4,7 ± 0,5) kΩ
Rechts oben: 4300 Ω ± 10 % = (4,3 ± 0,4) kΩ
Links 2. Zeile: (22 ± 1) Ω
Rechts 2. Zeile: 460 000 Ω ± 5 % = (460 ± 20) kΩ*)
Links 3. Zeile: 6800 Ω ± 5 % = (6,8 ± 0,3) kΩ*)
Rechts 3. Zeile: 1 300 000 Ω ± 5 % = (1,3 ± 0,1) MΩ*)
Links unten: 150 000 Ω ± 5 % = (150 ± 8) kΩ*)
Rechts unten: 6800 Ω ± 5 % = (6,8 ± 0,3) kΩ
*) Die Codierung ist von rechts zu lesen.

Seite 231

A 2: Die Gleichung $I = U/R$ ist die Umformung der Definition von R; also nicht das ohmsche Gesetz. Das ohmsche Gesetz lautet: $I \sim U$; es gilt bei Metallen für konstante Temperatur T. Die U-I-Kennlinie ist eine Ursprungsgerade.

A 3: R ist proportional zu l/A:
$R_2 = \frac{3}{5} \cdot R_1 = 60\ \Omega$;
$I_2 = U/R_2 = \frac{5}{3} \cdot I_1$.

A 4:

***U* in V**	20	12	**120**
***I* in A**	4	**0,06**	0,08
***R* in Ω**	**5**	200	1500

A 5: $R_{2\text{V}} = 2\ \text{V}/0{,}038\ \text{A} = 52{,}6\ \Omega$;
$R_{230\text{V}} = 230\ \text{V}/0{,}435\ \text{A} = 528{,}7\ \Omega$;
Der Widerstand R steigt mit der Temperatur T.

A 6: a) Absoluter Fehler:
10 A: $\Delta I = 0{,}2$ A; 1 A: $\Delta I = 0{,}02$ A.
Relativer Fehler:
Messbereich 10 A: 0,2 A/(0,8 A) = $\frac{1}{4}$ = 25 %
Messbereich 1 A: 0,02 A/(0,8 A) = $\frac{1}{40}$ = 2,5 %.
b) Der Messbereich sollte möglichst klein gewählt werden.

Seite 233

A 1: a) Bohrmaschine: $I = 230$ V/106 Ω = 2,17 A;
Fernseher: $I = 0{,}65$ A;
Lampe: $I = 0{,}43$ A;
Staubsauger: $I = 3{,}48$ A;
Herd: $I = 10{,}95$ A;
Bügeleisen: $I = 4{,}34$ A.
$I_{\text{Lampe}} : I_{\text{Herd}} = 0{,}43 \text{ A} : 10{,}95 \text{ A} = 1 : 25{,}5$.
$I_{\text{gesamt}} = 22{,}02$ A.
b) $R = 230$ V/22,02 A = 10,45 Ω.
c) Man muss die 40-A-Sicherung wählen.

A 2: a)

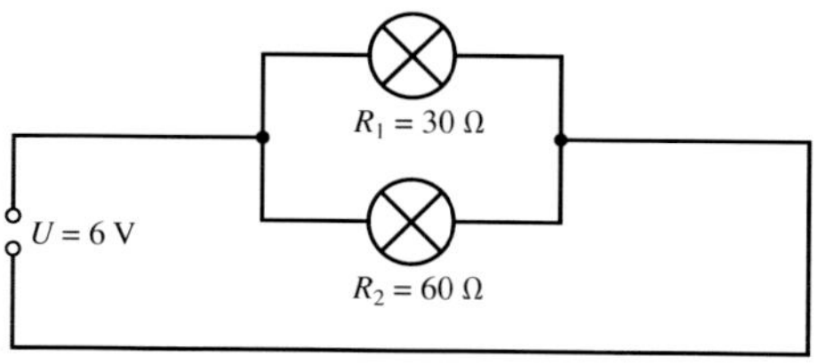

b) $I_{30\,\Omega} = 6$ V/30 Ω = 0,2 A;
$I_{60\,\Omega} = 6$ V/60 Ω = 0,1 A;
$I_{\text{ges}} = 0{,}2$ A + 0,1 A = 0,3 A.

A 3: a) $I_2 = I - I_1 = 200$ mA − 2 mA = 198 mA;
$R_2 = U/I_2 = R_1 \cdot I_1/I_2 = 0{,}1$ V/0,198 A = 0,51 Ω.
b) Ersatzwiderstand: $1/R_{\text{ges}} = 1/R_1 + 1/R_2$
$\Rightarrow R_{\text{ges}} \approx 0{,}5$ Ω
c) $R_{\text{ges}} = U/I_{\text{ges}} = U/(100 \cdot I) \approx \frac{1}{100} \cdot R_1$.

A 4: a) Der Stahlkern und der Aluminiummantel des Seils sind parallel geschaltet. Deshalb gilt für R:
$1/R = 1/R_1 + 1/R_2 = 1/(2\ \Omega) + 1/(0{,}1\ \Omega)$
$\Rightarrow R = 0{,}095$ Ω.
b) $I_{\text{Kern}} = U/R_1 = 100$ V/2 Ω = 50 A;
$I_{\text{Mantel}} = 1000$ A; $I_{\text{ges}} = 1050$ A.

A 5: Spannungsabfall auf Beinabstand (2 cm):
$U = 100$ V · 0,02 m/1000 m = 2 mV;
2 mV ist eine ungefährliche Spannung.

A 6: $I_1 = U/R_1 = 0{,}1$ V/50 Ω = 2 mA; $I_2 = 200$ mA;
$I_{\text{ges}} = 202$ mA.

Seite 235

A 1: a) 10er-Kette: $U = 23$ V; 16er-Kette: $U = 14{,}4$ V
b) 10er-Kette: $R = 23$ V/0,13 A = 177 Ω;
16er-Kette: $R = 69$ Ω.
Gesamtwiderstand:
10er-Kette: $R = 1770$ Ω; 16er-Kette: $R = 1104$ Ω.

A 2: a) $U = R_1 \cdot I = 50$ Ω · 0,002 mA = 0,1 V.
b) Bei $U = 100$ V soll $I = 2$ mA sein, also muss sein
$R_{\text{ges}} = 100$ V/0,002 A = 50 000 Ω.
$R_{\text{ges}} = R_1 + R_v$. Daraus folgt:
$R_v = 50\,000$ Ω − 50 Ω = 49 950 Ω.
Spannungsmesser mit so großem Widerstand kann man unmittelbar an Quellen legen, ohne einen Kurzschluss befürchten zu müssen.

Seite 236

A 1: Die Spannung U_{SB} steigt von 0 V linear auf (1,5 V − U_1) an.
$\frac{1}{4}$ der angelegten Spannung misst der Spannungsmesser bei $\frac{1}{4}$ der Strecke AB, $\frac{3}{4}$U bei $\frac{3}{4}$ von AB.

A 2: $R_v = (230$ V − 25 V)/10 A = 20,5 Ω.

A 3: Zur Begrenzung der Stromstärke muss ein Vorwiderstand R_v in den Stromkreis geschaltet werden, an dem die „überschüssigen" 6 V abfallen.
$R_v = (9$ V − 3 V)/0,0001 A = 60 kΩ.

A 4: $R_{\text{ges}} = 100$ Ω.
$I = 50$ V/100 Ω = 0,5 A;
$U_1 = 20$ Ω · 0,5 A = 10 V; $U_2 = 15$ V; $U_3 = 25$ V.

A 5: Die ersten 3 Lämpchen haben je den Widerstand $R = 4$ V/0,2 A = 20 Ω. Am vierten Lämpchen liegt die Teilspannung 17 V − 3 · 4 V = 5 V an. Es hat also den Widerstand $R = 5$ V/0,2 A = 25 Ω.
Kontrolle: Ersatzwiderstand $R = 85$ Ω; Stromstärke $I = 17$ V/85 Ω = 0,2 A.

A 6: a) $R = 20$ Ω + 100 Ω = 120 Ω.
$U = 120$ Ω · 0,2 A = 24 V.
b) $U_1 = 20$ Ω · 0,2 A = 4 V; $U_2 = 20$ V.

A 7: $1/R = 1/8\ \Omega + 1/12\ \Omega$, also $R = 4{,}8\ \Omega$.
$U = 4{,}8\ \Omega \cdot 2{,}6\ \text{A} = 12{,}48\ \text{V}$.
$I_1 = 12{,}48\ \text{V}/8\ \Omega = 1{,}56\ \text{A}$;
$I_2 = 12{,}48\ \text{V}/12\ \Omega = 1{,}04\ \text{A}$.

Seite 239

A 1: a) $\varphi(\text{A}) = 0\ \text{V}$; $\varphi(\text{B}) = \varphi(\text{C}) = 4{,}5\ \text{V}$.
Die Lampe leuchtet nicht, denn zwischen den Anschlüssen der Lampe besteht keine Potenzialdifferenz, also fließt keine Ladung.
b) Von C aus muss die Leitung an die „Erde“ angeschlossen werden.
$\varphi(\text{A}) = \varphi(\text{C}) = 0\ \text{V}$; $\varphi(\text{B}) = 4{,}5\ \text{V}$.

A 2: a) $U_1 = U_2 = 4{,}5\ \text{V}$; $U_3 = 9\ \text{V}$; $\varphi(\text{A}) = -4{,}5\ \text{V}$; $\varphi(\text{B}) = 4{,}5\ \text{V}$; $\varphi(\text{C}) = 0\ \text{V}$.
b) $U_1 = -4{,}5\ \text{V}$; $U_2 = 4{,}5\ \text{V}$; $U_3 = 0\ \text{V}$; $\varphi(\text{A}) = 4{,}5\ \text{V}$; $\varphi(\text{B}) = 4{,}5\ \text{V}$; $\varphi(\text{C}) = 0\ \text{V}$.

A 3: a) $\varphi(\text{A}) = \varphi(\text{C}) = 6\ \text{V}$; $\varphi(\text{B}) = \varphi(\text{D}) = 0\ \text{V}$.
b) $\varphi(\text{A}) = 6\ \text{V}$; $\varphi(\text{B}) = 0\ \text{V}$; $\varphi(\text{C}) = \varphi(\text{D}) = 3\ \text{V}$.
Nein, an L_1 liegen 6 V, an L2 und L3 jeweils 3 V.

A 4: a) L_5 ist dunkel, alle anderen Lampen leuchten gleich hell, da an ihnen jeweils die gleiche Potenzialdifferenz von 2,25 V besteht.
b) L_1 und L_2 leuchten wie in a). Die parallel geschalteten Lampen L_4 und L_5 haben einen kleineren Gesamtwiderstand als L_2, also ist die Stromstärke im Zweig mit L_3, L_4 und L_5 größer als im Zweig mit L_1 und L_2. L_4 und L_5 leuchten schwächer als L_3, L_3 leuchtet heller als L_1 bzw. L_2.
c) Wegen des Innenwiderstandes der Batterie sinkt bei Vergrößern der Stromstärke die Spannung zwischen ihren Anschlüssen. Im Vergleich zu b) leuchten alle Lampen schwächer.

A 5: Es fehlt jeweils das Bezugsniveau:
„Die Spitze des Ulmer Münsters hat eine Höhe von 161 m über dem Erdboden.“
„Das Potenzial eines Punktes beträgt 10 V gegenüber Erde (0 V).“

A 6:

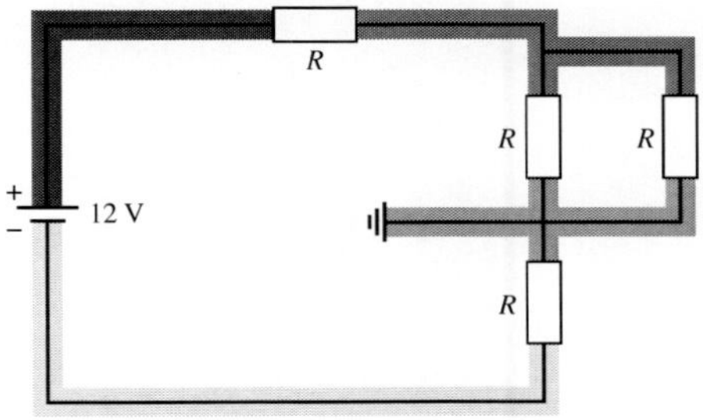

Seite 241

A 1: a) $R = 24\ \text{V}/1{,}6\ \text{A} = 15\ \Omega$.
b) $U = 15\ \Omega \cdot 1{,}2\ \text{A} = 18\ \text{V}$.
c) 16-fache Länge bedeutet: R wird 16-fach.
16-facher Querschnitt bedeutet: R sinkt auf $\frac{1}{16}R$.
Der Querschnitt A muss also 16-mal größer sein.
Wegen $A \sim d^2$ muss also der 4-fache Durchmesser gewählt werden.

A 2: a) $R_1 = 6\ \text{V}/1{,}5\ \text{A} = 4\ \Omega$. $R_2 = 6\ \Omega$.
b) Da der Widerstand von Eisen mit steigender Temperatur zunimmt, gilt nicht $U \sim I$.

A 3: $I_{ges} = I_1 + I_2$, also ist
$I_2 = I_{ges} - I_1 = 2{,}4\ \text{A} - 1{,}8\ \text{A} = 0{,}6\ \text{A}$.

A 4: a) $R_{ges} = R_1 + R_2 = 160\ \Omega + 300\ \Omega = 460\ \Omega$.
$I = U/R_{ges} = 230\ \text{V}/460\ \Omega = 0{,}5\ \text{A}$.
b) $U_1 = R_1 \cdot I = 160\ \Omega \cdot 0{,}5\ \text{A} = 80\ \text{V}$;
$U_2 = R_2 \cdot I = 300\ \Omega \cdot 0{,}5\ \text{A} = 150\ \text{V}$.
Kontrolle: $U_1 + U_2 = 230\ \text{V}$.

A 5: $1/R_{ges} = 1/R_1 + 1/R_2 = 1/(50\ \Omega) + 1/(10\ \Omega)$
$R_{ges} = 8{,}33\ \Omega$; $I_{ges} = 7{,}5\ \text{V}/8{,}33\ \Omega = 0{,}9\ \text{A}$;
$I_1 = 7{,}5\ \text{V}/50\ \Omega = 0{,}15\ \text{A}$; $I_2 = 0{,}75\ \text{A}$;
Kontrolle: $I_1 + I_2 = 0{,}9\ \text{A}$.

A 6: $R_v = (9\ \text{V} - 6\ \text{V})/0{,}4\ \text{A} = 7{,}5\ \Omega$.

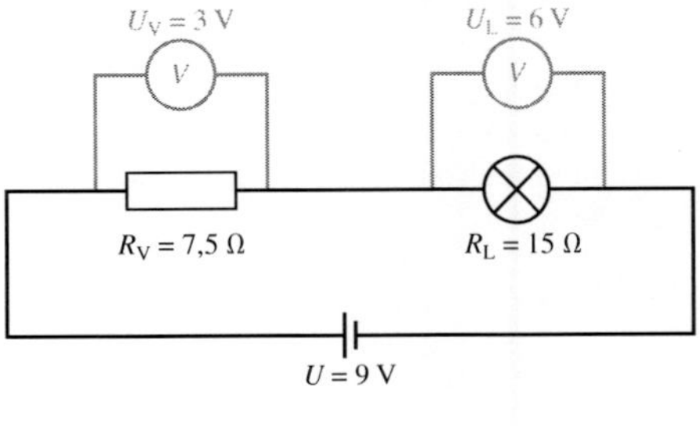

A 7: Die Länge und damit der Widerstand des im Stromkreis befindlichen Drahtes kann durch Verschieben des Gleiters verändert werden.

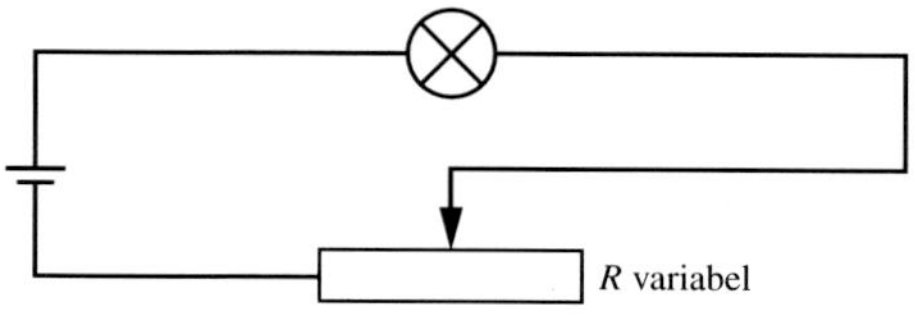

Seite 242

A 1: Man bildet mit der Sammellinse die Deckenbeleuchtung auf den Fußboden scharf ab. Da die Gegenstandsweite g sehr groß ist (ca. 2 m Abstand Deckenbeleuchtung–Linse), ist nach der Linsengleichung $b \approx f$. Damit ist der Abstand Fußboden–Linse in guter Näherung gleich der Brennweite f der Linse.

A 2: Messwerte (in cm) bei Bechergläsern:

Durchmesser Becherglas außen: $d = 2r$	10,3	6,9	5,3
Gegenstandsweite g gemessen	15	9,5	9,5
Bildweite b gemessen	36	26	11,5
Brennweite f berechnet aus g und b	10,6	7,0	5,2

Das Schaubild ergibt eine Ursprungsgerade. Gesetzmäßigkeit: Die Brennweite f ist proportional zum Durchmesser d des zylindrischen Glases.
Nach der *Theorie* (Bergmann-Schäfer Optik) ist bei zylindrischen Gefäßen $f = n \cdot r/[2(n-1)]$, wobei n der Brechungsindex des Mediums im Glas und r der Kreisradius ist.
Für eine Wasserfüllung mit $n = 1{,}333$ (Wasser/Luft; Glas vernachlässigt) folgt: $f \approx 2r = d$.

A 3: Es waren die Versuche auf den Seiten 46 und 47:
- Zerlegung von weißem Licht mit Prisma in Spektralfarben (46.B2).
- Lässt sich das farbige Licht des Spektrums weiter zerlegen (Versuch 46.B3)? Nein, es ist spektralrein.
- Die farbigen Lichter des Spektrums lassen sich mit einer Sammellinse wieder zu weißem Licht vereinigen (47.V1).

A 4: Wenn eine Person sich im Spiegel sieht (der die nötige Mindestgröße hat und optimal aufgehängt ist, siehe 34.B2), so zeigt die Zeichnung, dass unabhängig vom Abstand vom Spiegel die Punkte auf dem Spiegel, in denen das Licht vom Kopfscheitel und von den Füßen in Richtung Augen reflektiert wird, in gleicher Höhe bleiben. So kommt es, dass man immer gleich viel von sich sieht.

A 5: Zwei Größen x und y sind zueinander proportional (z. B. Zeit t und Weg s), wenn
- ihr Quotient y/x konstant ist (s/t = konst.),
- n-faches x auch n-faches y ergibt (n-fache Zeit t den n-fachen Weg s),
- das x-y-Diagramm (t-s-Diagramm) eine Ursprungsgerade ist.

A 6: Betrifft Sinnesorgane, siehe Seiten 79 bis 81.

Subjektive Wahrnehmung	**Objektive Erfassung (physikalische Größe)**
Tönhöhe	Frequenz
Lautstärke	Amplitude
„Warmheitsempfinden", z. B. frieren	Temperatur
Farbwahrnehmung (Farbenblindheit)	Farbige Lichter: Brechungswinkel bei vorgegebenem Einfallswinkel verschieden (46.B4, 47.T1)
hell, dunkel	einfallende Lichtenergiemenge

A 7: Bei Bewegung ohne Reibung kommt die Kugel bei a)–c) jeweils gleich hoch. Sie erreicht wieder die Starthöhe.
Begründung: Die anfängliche Höhenenergie wird in Bewegungsenergie umgewandelt und dann wieder ganz in Höhenenergie $W = G \cdot h$. Nach dem Energieerhaltungssatz sind Start- und Endhöhe gleich, wenn keine Reibung auftritt.

A 8: a) Eine Sprudelkiste drei Stockwerke ($h = 9$ m) hoch tragen, z. B.: Masse der Sprudelkiste $m = 16{,}5$ kg, damit Gewichtskraft $G \approx 162$ N.
Benötigte Energie zum Hochtragen:
$W = F_s \cdot s = G \cdot h = 162\ \text{N} \cdot 9\ \text{m} \approx 1{,}5\ \text{kJ}$.
Die Rechnung gilt nur unter den Voraussetzungen, dass die Kraft konstant ist und in Wegrichtung wirkt.
b) Das Nahrungsmittel sei z. B. Naturjoghurt mit einem Energiegehalt von 347 kJ pro 100 g. Für das

Hochtragen der Sprudelkiste müsste man ungefähr 1,5 kJ/(347 kJ/100 g) ≈ 0,4 g Joghurt essen. Entsprechend könnte man auch das Schieben eines beladenen Einkaufswagens in einem Supermarkt abschätzen.

A 9: **a)** Der Schnittpunkt der beiden Geraden ergibt den Ort, an dem der Wanderer zur gleichen Zeit vorbei kommt.
b) Dem Diagramm entnimmt man: Er „begegnet" sich selbst am „Ort" 12 km um 12 Uhr.

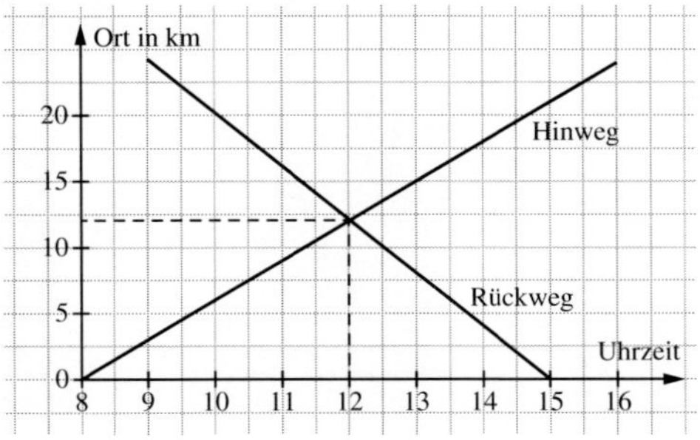

A 10: **a)** Physikalische Unterschiede der Begriffe „Kraft und Druck":

Kraft	Druck
Vektorielle Größe	Skalare Größe
	Definition: $p = F/A$
Einheit: 1 N	Einheit: 1 Pa = 1 N/m^2
Kraft beschreibt die Wechselwirkung zwischen Körpern	Druck beschreibt einen Zustand
Sprechweise: eine Kraft wirkt	Sprechweise: ein Druckzustand herrscht
Kraft hat einen Angriffspunkt.	Herrscht ein Druckzustand, so wirkt auf jede Begrenzungsfläche eine Kraft. Diese steht senkrecht zur Fläche.

A 11: Wenn ein Stromkreis geschlossen ist, leuchtet z. B. eine Lampe. Wenn ein Wasserstromkreis geschlossen ist, strömt (fließt) Wasser. Bei einem Verkehrsstrom bewegen sich Autos. Der Vergleich mit einer Brücke über einen Fluss bzw. einer Fähre, die Autos über den Fluss transportiert, brachte uns auf die Idee, ob es eine elektrische Substanz gibt, die beim elektrischen Strom fließt.
Versuch: Mit einer isolierten Metallkugel wird ein Pol einer elektrischen Quelle berührt. Kann man dabei etwas abzapfen? Antwort ja! Berührt man nämlich die Metallkugel mit einer Glimmlampe vor dem Versuch, so leuchtet die Glimmlampe nicht. Berührt man die Kugel nach dem Versuch, so leuchtet das Gas der Glimmlampe kurz auf. Das Leuchten der Glimmlampe ist der Nachweis, dass sich für kurze Zeit ein elektrischer Strom ergibt. Man sagt, die Metallkugel war nach dem Berühren eines Pols der Quelle elektrisch geladen. (Seiten 198 und 199). Mit einer isolierten Metallkugel kann man elektrische Ladung transportieren.

A 12: 1. Knotenregel: $I = I_1 + (I_2 + I_3)$ mit $I_2 = I_3$ folgt: $I = I_1 + 2\,I_2$. Da Lämpchen 1 und 2 an gleicher Spannung liegen, ist $I_1 = I_2$. Damit folgt:
$I_1 = I_2 = I_3 = I/3 = 0{,}5$ A.
2. Potenzialbetrachtung: $\varphi_1 = \varphi_2$, $\varphi_3 = \varphi_4$. D. h. bei allen drei Lämpchen besteht gleiche Potenzialdifferenz (sie leuchten gleich hell), also $I_1 = I_2 = I_3 = I/3 = 0{,}5$ A.

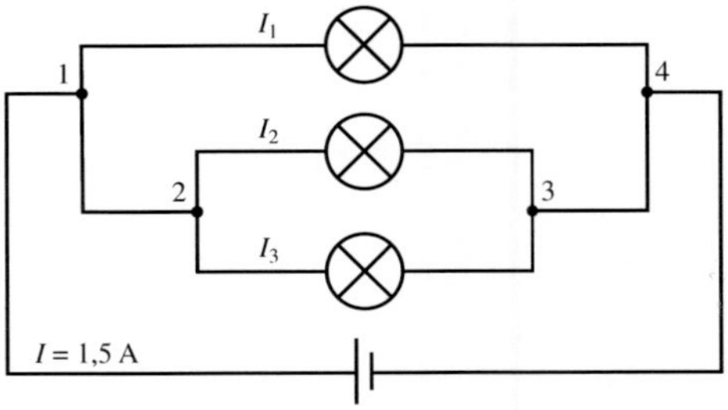

3. Umzeichnen der Schaltung liefert, dass alle drei Lämpchen parallel geschaltet sind.

A 13: **a), b)** Die Stromstärke nimmt beiden Fällen gleich stark ab. Für den Ersatzwiderstand einer Reihenschaltung spielt es keine Rolle, an welcher Stelle sich ein Widerstand befindet. Die Stromstärke nimmt ab, weil der Ersatzwiderstand der Reihenschaltung steigt. Da bei Veränderung der Widerstände die Spannung der Quelle konstant bleibt (Innenwiderstand der Quelle vernachlässigt), gilt für die Stromstärke I_{neu} nach Verdoppelung von R_1 bzw. R_2:

$$I_{neu} = \frac{R_{gesamt,alt}}{R_{gesamt,neu}} \cdot I_{alt} = \frac{R_{Lampe} + 40\,\Omega}{R_{Lampe} + 60\,\Omega} \cdot I_{alt}$$

(falls R_{Lampe} als konstant angenommen wird).
c) In diesem Fall ändert sich die Lampenhelligkeit nicht, weil der Ersatzwiderstand weiterhin R_{Lampe} + 40 Ω beträgt.

Seite 243

A 14: Bei Parallelschaltung gilt: $I = I_1 + I_2$.
Auch wenn ein zweiter Strommesser parallel zum ersten geschaltet wird, führt die Lampe weiterhin einen Strom der Stärke $I = 2{,}5$ A.
In diesem Beispiel gilt also: 2,5 A = 1,0 A + 1,5 A.

Somit geht die Anzeige des ersten Strommessers auf $I_1 = 1{,}0$ A zurück.
Für die Ladung gilt: $Q = I \cdot t$.
Damit fließende Ladungsmenge je Sekunde durch Strommesser 1: $Q_1 = I_1 \cdot t = 1\ \text{A} \cdot 1\ \text{s} = 1\ \text{C}$ und die fließende Ladungsmenge je Sekunde durch Strommesser 2: $Q_2 = I_2 \cdot t = 1{,}5\ \text{A} \cdot 1\ \text{s} = 1{,}5\ \text{C}$.

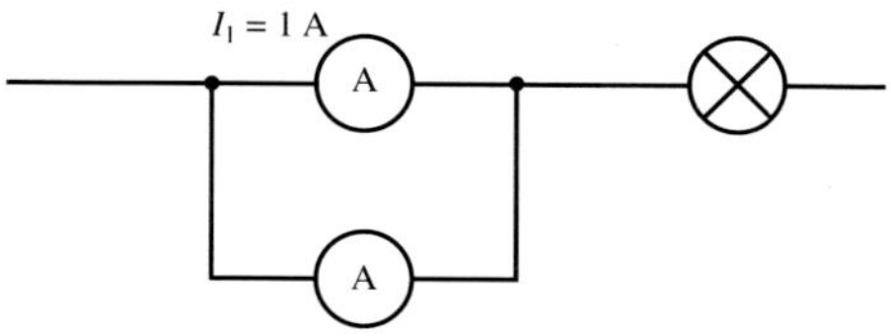

A 15: a) Misst man mit einem Ohmmeter den elektrischen Widerstand zwischen den Händen, so ermittelt man die Summe aus Körperwiderstand plus Hautwiderstand.
Der Körperwiderstand Hand-Hand (ohne Hautwiderstand) liegt in der Größenordnung von 600 Ω.
Literaturangaben für den Hautwiderstand liegen zwischen 500–2000 Ω.
Bei feuchter Haut wird der Widerstand zwischen den Händen deutlich kleiner. Zwischen Fußsohle und Handfläche ist der Körperwiderstand geringer als zwischen den Händen.
Anmerkung: Hier wird Gleichstrom betrachtet. Für Wechselströme findet man in der Literatur größere Werte für den Hautwiderstand, weil die Haut auch als kapazitiver Widerstand wirkt.
Nach DIN EN 61010-1; VDE 0105 Teil 2; GUV-SI-8070 gilt als berührungsgefährliche Spannung (bei Gleichspannung) ein Grenzwert von 60 V und bei höherer Gleichspannung ein Grenzwert für die Stromstärke von 12 mA. Hieraus lässt sich als Größenordnung für den Widerstand (Körperwiderstand und Hautwiderstand) abschätzen $R = U/I = 60\ \text{V}/0{,}012\ \text{A} = 5{,}0\ \text{k}\Omega$.
b) Mit größerer Kontaktfläche an den Händen wird der Widerstand kleiner.

A 16: a) $I_1 = I_2 + I_3$ wegen Parallelschaltung, damit ist $I_1 > I_2$ und $I_1 > I_3$. Falls $R_2 > R_3$ wäre, so wäre $I_2 < I_3$.
b) Die Spannung an R_2 und R_3 ist gleich, weil R_2 und R_3 parallel geschaltet sind. Falls $R_1 > R_{2,3}$ ($R_{2,3}$ ist Ersatzwiderstand von R_2 und R_3) wäre, so wäre $U_1 > U_{2,3}$.
c) Die Spannungen an R_1 und R_2 sind gleich groß, wenn $R_1 = R_{2,3} = (R_2 \cdot R_3)/(R_2 + R_3)$. Falls z. B. $R_2 = R_3$ wäre, so müsste $R_1 = R_2/2$ sein.

A 17: Zusammenhang zwischen Elektrizität und Magnetismus: Ein Strom führender Leiter ist von einem Magnetfeld umgeben (Oersted 1820).
Beispiel: Fließen Elektronen durch eine Spule, so ist die Spule von einem Magnetfeld umgeben und durchsetzt.

A 18: a) Das Schild hat die Bedeutung, dass Fahrzeuge nicht schneller als 50 km/h fahren dürfen.
b) Das Schild müsste korrekt so aussehen:

A 19:

Zeitabschnitte	Weg
0 s – 1 s	$v = 0$ m/s, Wagen steht
1 s – 3 s	$v = 2$ m/s, zurückgelegter Weg 4 m
3 s – 4,5 s	$v = 1$ m/s, zurückgelegter Weg 1,5 m
4,5 s – 7 s	Geschwindigkeit nimmt in 1 s um ca. 0,6 m/s zu (beschleunigte Bewegung). Parabelast: Schüler können diesen Teil nur qualitativ zeichnen.

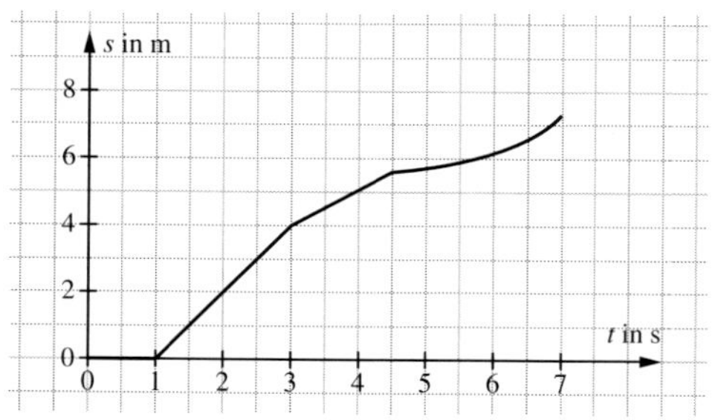

A 20: Definition der Geschwindigkeit (Sonderfall für $s(0\,s) = 0\,m$): $v = s/t$.
Definition elektrische Stromstärke:
$I = Q/t$ (jeweils für v = konst. und I = konst.).
Gemeinsam ist beiden Begriffen die Quotientenbildung, wobei jeweils die Zeit im Nenner steht. Man könnte in Analogie zum elektrischen Fall die Geschwindigkeit v als eine Art „Weg-Stromstärke" interpretieren (siehe auch 225.Vertiefung, „Strömungen").

A 21: a) Lena hat eine konstante Geschwindigkeit (Ursprungsgerade im t-s-Diagramm). Paul hat anfangs eine größere Geschwindigkeit als Lena (Gerade steiler), dann ist v so groß wie bei Lena, dann ist seine Geschwindigkeit kleiner als Lenas (Gerade flacher).
b) Paul ist vor Lena im Zeitraum 0 bis ca. 9,3 min. *Begründung:* Der Graph von Paul liegt in diesem Zeitraum oberhalb des Graphen von Lena, damit hat Paul einen größeren Weg zurückgelegt.
c) Die beiden Graphen schneiden sich bei ungefähr 1750 m. An diesem Ort befinden sich Lena und Paul zur gleichen Zeit.
d) Im Zeitintervall von 2 min bis etwas mehr als 6 min haben die beiden Graphen die gleiche Steigung. Damit haben Lena und Paul die gleiche Geschwindigkeit.
e) Lena erreicht vor Paul das Freibad (nach 10 min). Paul hat dann noch ca. 125 m zurückzulegen.

A 22: a) Unter einem Denkmodell in der Physik versteht man eine gedankliche Abstraktion, die wesentliche Eigenschaften des Objekts beinhaltet.

Denkmodell	
Lichtstrahl	Hier wird von physikalischen feinen Lichtbündeln abstrahiert auf geradlinig verlaufende Lichtstrahlen (mathematisch Halbgeraden), mit deren Hilfe man Strahlengänge bei Reflexion und Brechung konstruieren kann.
Teilchenmodell	Bei einem Gas z. B. stellt man sich vor, dass es aus kleinen Teilchen besteht. Diese bewegen sich dauernd ungeordnet. Ein Teilchen bemerkt ein anderes Teilchen nur beim Stoß. Energiezufuhr z. B. bedeutet, dass die Bewegungsenergie der kleinen Teilchen zunimmt.
Elementarmagnete	Elementarmagnete symbolisieren kleinste, nicht weiter teilbare magnetische Dipole. Mit ihrer Hilfe kann man sich z. B. das Magnetisieren von Eisen vorstellen.

b) Ein Denkmodell kann beim Ordnen von Sachverhalten, beim Erklären von physikalischen Phänomenen und beim Vorhersagen von Versuchsergebnissen helfen.
c) Das Wort „Modell" hat bei einer Modelleisenbahn eine ganz andere Bedeutung. Eine Modelleisenbahn ist im Allgemeinen ein möglichst detailgetreuer, verkleinerter Nachbau der sichtbaren Wirklichkeit. Ein physikalisches Denkmodell existiert nur gedanklich und soll Wesentliches der beobachteten Welt verdeutlichen. Elementarmagnete existieren z. B. nicht in der Realität als kleine grün-rote Quader – so wird unsere Denkvorstellung nur häufig zeichnerisch dargestellt.

A 23: a)

Teilgebiet	**Bedeutung Begriff „Energie"**
Akustik	Eine Schallwelle ist mit Energie verknüpft. Dies bemerkt man z.B. bei 21.V5: Ein an einem Faden befestigter Tischtennisball wird von der zweiten Tamburinmembran zur Seite geschleudert, wenn die Schallwelle ankommt.
Optik	Licht enthält Energie, wie man z. B. bei Infrarotlicht durch den Temperaturanstieg des bestrahlten Körpers feststellen kann. Eine Sammellinse kann Sonnenlicht bündeln, so dass z. B. ein Papier entzündet wird.
Mechanik	Für mechanische Energieübertragung ist eine Kraft nötig. Z. B. kann vermittels einer Kraft die Höhenenergie eines Körpers in Bezug auf die Erde erhöht werden.
Wärmelehre	Je höher die Temperatur, desto höher ist die mittlere Bewegungsenergie der ungeordnet sich bewegenden Teilchen. Durch Energiezufuhr werden die kleinen Teilchen eines Gases schneller.
Elektrizität	Durch Energiezufuhr (Glühen) kann man Elektronen aus einem Metall auslösen (Glühelektrischer Effekt). Fließende Elektronen erhöhen i.a. die innere Energie des Leiters (z. B. bei einem Haartrockner), die Temperatur steigt. Herrscht eine elektrische Spannung, so kann Energie im geschlossenen Stromkreis gewandelt werden.

b) Der Energiebegriff spielt deshalb eine so große Rolle, weil bei geschlossenen Systemen die Energie erhalten bleibt (Energieerhaltungssatz). *Nur einige Beispiele:*
Betrachtet man z. B. ein reibungsfreies Pendel, so erreicht dieses immer wieder die gleiche Höhe in den Umkehrpunkten, weil die Energie erhalten bleibt.
Sonnenlicht transportiert Energie (abhängig von der Lichtfarbe). Trifft Sonnenlicht auf eine Sammellinse, so wird diese Energie auf eine kleine Fläche in der Brennebene gebündelt. Dadurch kann die innere Energie und damit die Temperatur von z. B. Papier so stark steigen, dass es sich entzündet.
Der Energiebegriff spielt in der Energieversorgung unserer technisch-zivilisierten Welt eine fundamentale Rolle. Hierbei spielen Energiewandlung, Energieentwertung (Entropie) und „Energiesparen" eine wesentliche Rolle.

A 24: a) *Lösungsstrategie* bei einer Rechenaufgabe:

- Aufschreiben, was gegeben und gesucht ist.
- Physikalische Situation analysieren, welche Gleichungen gelten? Gegebenenfalls eine Skizze zur Veranschaulichung machen.
- Auflösen der Gleichung(en) nach der gesuchten Variablen.
- Einsetzen der gegebenen Werte.
- Einheitenkontrolle.
- Überprüfen des Ergebnisses auf Plausibilität, z. B.: Stimmt der berechnete Wert mit der Erfahrung überein?

b) Einige *Beispiele für Fehler/Problemsuche:*

- Habe ich alle gegebenen Daten berücksichtigt?
- Habe ich mir die Problemstellung veranschaulicht? Skizze gemacht?
- Kann die verwendete Gleichung überhaupt richtig sein? Stimmen in der Gleichung die Je-desto-Beziehungen (z. B. bei $v = s/t$: Je kürzer die Zeit bei gleichem Weg, desto größer ist die Geschwindigkeit)?
- Habe ich die Einheiten kontrolliert?
- Habe ich einen Fehler beim algebraischen Umformen gemacht? Habe ich falsche Zahlenwerte eingesetzt?
- Habe ich alle eingesetzten Werte vorher auf gleiche Einheiten umgerechnet (z. B. m oder kg)?